세계사의 맥

고대편

김광채 지음

부크크

2024

목 차

제1장 기본 개념 잡기

1. 선사 시대와 역사 시대

무릇 역사는 우리의 기억을 전제로 합니다. 중요한 일이 있었는데도, 기억하지 못하고 망각한다면, 역사에 남지 못합니다.

문제는 우리의 기억력에는 한계가 있다는 것입니다. 부모나 조부모 혹은 선생님한테서 들은 것을 오랫동안 정확하게 기억하고, 그것을 다른 사람들한테 정확하게 전달한다는 것이 쉬운 일만은 아닙니다.

중요한 건 **잊지 말자!**

그런데 역사 시대에 들어와 우리 인류는 문자를 사용하기 시작했습니다. 그리고 문서를 만들기 시작했고, 책을 만들기 시작했습니다.

이제 과거의 중요한 일에 대한 기억이 수월해졌습니다. 거짓말로 역사를 왜곡하는 일 하는 것이 어려워졌습니다. 말은 휘발합니다. 금방 사라지고 없어집니다. 반면, 글은 남습니다. 글이 담긴 매체가 사라지기 전까지는 말입니다.

그러니까, 선사(先史) 시대에는 문자가 없었든지, 아니면, 혹시 있었다 해도, 과거 역사를 복원하기에 충분한 분량의 문서나 책을 남겨 놓지 못하였습니다. 그 시대의 역사는 고고학적 유물을 가지고 – 또 경우에 따라서는 신화를 통해 – 대강 짐작만 할 수 있을 뿐 구체적인 내용은 알 수가 없습니다.

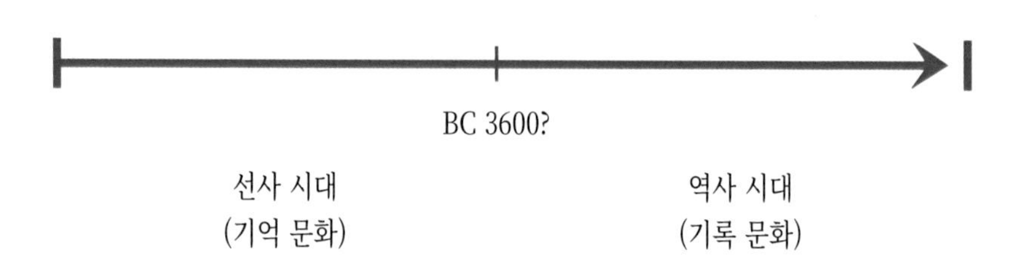

여하간, 선사 시대는, 기억 문화가 거의 전적으로 지배하던 시대였습니다. 이에 비해 역사 시대는, 기록 문화가 중요해진 시대였습니다.

역사 시대에는 글을 모르는 문맹자(文盲者)가 역사의 주인공 역할을 하기가 어렵습니다.

선사 시대라는 말을 [1827년] 처음 사용한 사람은 프랑스의 약사 겸 선사학자(先史學者) 폴 투르날(Paul Tournal, 1805~72)이었습니다.

영미권에서 선사학(先史學)의 선구자는 스코틀랜드 출신의 대니얼 윌슨(Daniel Wilson, 1816~92)이었습니다. 그는 1851년 Prehistory(= '선사')라는 말을 학술 용어로 사용하기 시작했습니다.

'역사의 아버지' 헤로도토스(Herodotos, 484?~?425 BC)의 대리석 흉상

AD 2세기 제작

2. '역사'라는 말의 뜻

우리가 사용하는 '역사'라는 단어는 영어 history, 헬라어 historia의 번역어입니다. 이 말을 자기가 쓴 역사책의 제목으로 삼은 최초의 인물은 고대 그리스의 역사가 헤로도토스였습니다.

헤로도토스

역 사

HISTORIA

BC 5세기 후반

헤로도토스는 historia라는 말을 '조사', '탐사', '탐문' 등의 뜻으로 사용했습니다. 즉, 그는 자기의 역사책을 현장 조사 및 탐사, 그리고 역사의 산 증인들과의 대화를 바탕으로 썼습니다. 물론, 그가 참고할 수 있는 문헌도 최대한 참고하였습니다. 헤로도토스의 «역사»는 다음과 같이 시작합니다.

> 할리카르낫소스 태생 헤로도토스는 여기에 자신의 **탐사** 기록을 펴낸다. 이는, 사람들의 업적이 후대에 잊혀지는 일이 없도록, 또 헬라인들 및 야만인들의 위대하고도 놀라운 행적이 기억에서 사라지는 일이 없도록 하기 위함이다. 특히 헬라인들과 야만인들이 왜 서로 전쟁을 하였는지를 밝혀 주고자 한다.

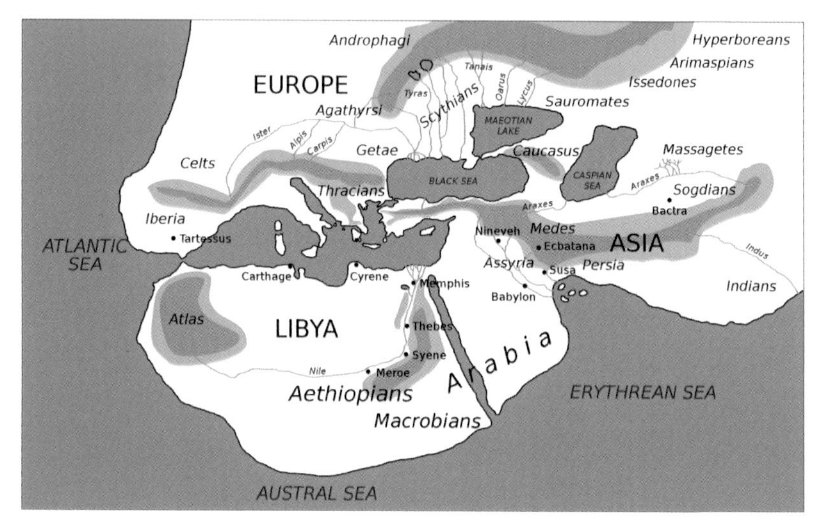

헤로도토스 시대 헬라인들이 알고 있던 세계

헤로도토스는 역사를 시간의 흐름 이상으로 보았습니다. 이는, 역사가 시간의 흐름을 전제로 하면서도, 시간 속을 살아가는 사람들의 삶에 초점을 맞추기 때문입니다.

그런데 사람들의 삶은 삶의 터전인 땅을 무대로 하여 전개됩니다. 그래서 헤로도토스는 역사가임과 동시에 지리학자이기도 하였습니다.

그는 또 신(神)의 섭리를 믿었습니다. 신을 마치 역사라고 하는 대(大) 드라마의 연출가와도 같이 여긴 것입니다.

우리는 신의 섭리를 믿지 않을 수 있습니다. 그러나 역사가, 사람들이 땅을 무대로 하여 살아온 과정 및 그 기록이라는 데는 이의를 제기하기 어려울 것입니다. 필자가 세계 역사를 정리함에 있어 지도를 많이 사용하려는 이유는 여기에 있습니다.

3. 문화와 문명

역사책에는 '문화'와 '문명'이라는 단어가 많이 등장합니다. 이들 단어 역시 서양에서 사용되는 말의 번역어입니다. 따라서 그 어원부터 살펴볼 필요가 있습니다.

문화(文化)

문화를 영어로 culture라 하지만, 이 영어 단어는 라틴어 cultura에서 유래하였습니다. 그런데 라틴어 명사 cultura는 라틴어 동사 colere에서 파생되었습니다.

라틴어 동사 colere는 본디 '경작하다'는 뜻을 지녔습니다. 원시인들은 주로 수렵과 채취로 생계를 유지했습니다. 그러다 언제부턴가 농업을 시작하였습니다.

> 사실, 어떤 지역이 역사 시대로 접어드는 것은, 농업 생산력이 상당 수준 올라간 다음의 일이었습니다.
>
> 식량 확보가 순조롭지 않은 상황에서, 문화가 발달한다는 것은 기대하기 어려운 일입니다.

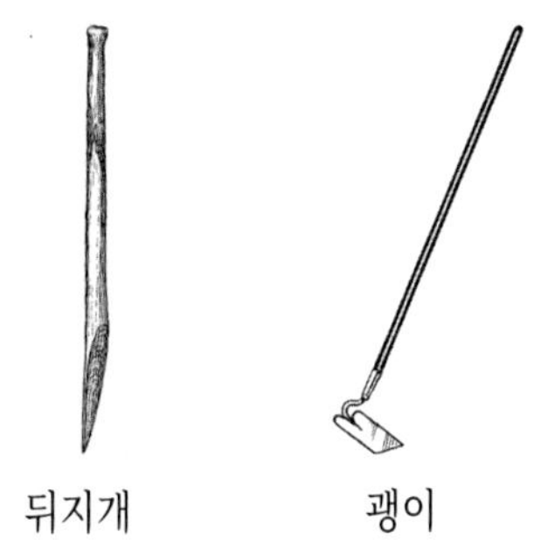

뒤지개 괭이

쟁기 (고대 이집트)

선사 시대 농업 기원의 중심지 및 농업의 전파 경로

원시인들이 처음 농사를 시작할 때 사용한 주요 농기구는 뒤지개 혹은 굴봉(掘棒, digging stick)이었습니다. 괭이는 신석기 시대에 발명되었고, 신석기 시대 중기 혹은 말기에 이르러 나무 쟁기가 만들어졌습니다.

쟁기에 다는 보습은 당연히 청동기 시대에는 청동으로, 철기 시대에는 철로 만들어졌습니다.

쟁기가 사용됨으로써, 농업 생산력이 비약적으로 증대된 것으로 보입니다. 다만, 쟁기의 사용은 토양 침식의 문제를 일으키기 때문에, 농사짓는 사람들은 농지 보전 문제에 신경을 써야 합니다.

문화는 자연을 훼손할 수 있습니다. 자연과 문화는 조화가 불가능할까요?

문화의 개념을 정신적 영역에 적용한 최초의 인물은 로마의 정치가 겸 철학자 키케로(Cicero, 106~43 BC)였습니다.

키케로

키케로는 그의 «투스쿨룸 대화» 제2권 5장 13절에서 철학을 cultura animi(= '마음밭 갈기')라 하였습니다.

인간은 1945년 발효된 <유엔 헌장>과 1948년 유엔 총회에서 결의된 <세계 인권 선언>에 밝혀진 대로 '천부의 존엄성'(inherent dignity)을 지닌 존재입니다. 인간을 고귀한 존재로 볼 수 있는 근거는 무엇입니까? 이는, 그가 물질적 풍요와 육신적 쾌락만을 최고의 가치로 여기지 않을 수 있기 때문입니다. 문화란, 이 가능성을 현실성으로 바꾸어 주는 힘을 지닌 것입니다. 그래서 학문, 예술, 종교 등을 문화의 범주 안에 포함시킵니다.

세종 대왕(*1397, 재위 1418~50)은 문화의 힘을 그 누구보다도 더 잘 알았던 임금이었습니다.

문명(文明)

문명을 영어로 civilization이라 하며, 그 어원을 보면, '도시'를 의미하는 라틴어 명사 civitas에서 유래하였음을 알 수 있습니다. 그러니까, 문명의 발달은 도시의 발달과 깊은 연관성이 있습니다.

역사 시대가 도래하자, 사람들은 도시를 건설하기 시작했습니다. 처음 세워진 도시들은 일종의 국가였습니다. 도시국가였던 셈이지요. 그러니까, 문명의 건설은 복잡한 정치 제도 및 법률 체계의 등장과 맞물려 있습니다. 사회에는 계급 분화가 일어납니다. 문명 이전의 원시 사회는 대체로 평등한 사회였을 것이지만, 문명 사회에서는 구조적 불평등의 문제를 해결하기 어렵습니다. 그리고 문명 사회에서는 교환 경제가 발달하기 쉽습니다. 당연히 빈부 격차도 심해집니다. 문제의 해결책은 어디에 있는 것일까요?

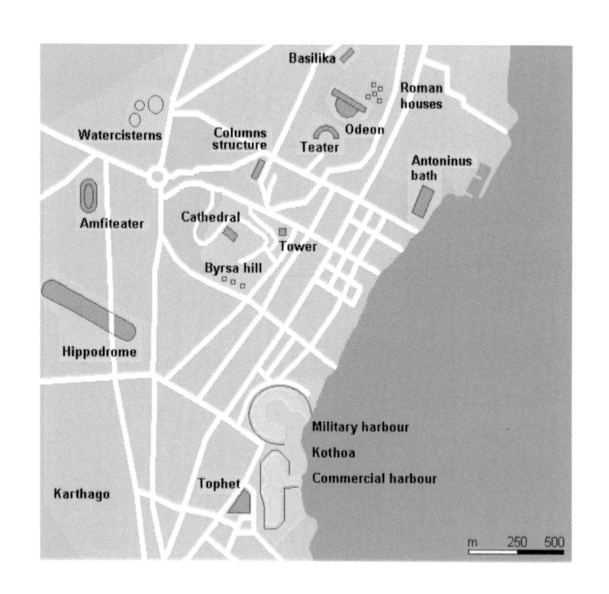

고대 도시 카르타고

4. 역사관

역사관(歷史觀) 혹은 사관(史觀)이란, 문자 그대로 역사를 바라보는 관점을 말합니다.

혹자는 역사관을 산을 바라보는 것에 비유했습니다. 우리가 산을 어디서 바라보느냐에 따라, 산의 모양이 다르게 보일 것이기 때문입니다.

<킬리만자로>
독일 화가 Ernst Platz(1867~1940)의 1898년 작품

그런데 우리는 어떤 대상을 보고서, 그 대상의 모든 것을 전부 다 기억하지 못합니다. 우리가 기억하는 것은, 거개가 우리의 관심을 끈 부분입니다.

그래서 '보고 싶은 것만을 본다'라는 말이 있는 것 같습니다.

역사란, 과거에 있었던 사실(事實)에 근거하여 기록해야 합니다. 과거에 있었던 사실, 혹은 역사적 사실을 우리는 '사실'(史實)이라고 하지만, 여러분이 아시는 대로, 역사 기록 과정에서 왜곡이 발생하거나, 심지어 역사를 조작하는 사례가 꽤 많습니다.

실증사관

실증사관(實證史觀) 혹은 실증주의(實證主義) 역사관(歷史觀)은 역사 기록 과정에서 발생할 수 있는 왜곡을 방지하는 데 초점을 맞춘 역사관입니다.

실증주의(Positivism)라는 말을 최초로 사용한 사람은 프랑스의 철학자 내지 사회사상가 생시몽(Saint-Simon, 1760~1825)이었습니다.

철학에서 실증주의는 보통 감각적으로 경험할 수 있고, 과학적으로 검증할 수 있는 것만을 참된 지식으로 봅니다. 따라서 초경험적 세계를 취급하는 형이상학을 배격합니다. 또 과학 특히 자연과학의 연구 성과를 매우 중시합니다.

생시몽

그러나 서양에서는 역사관과 관련하여 실증주의라는 말보다는 역사주의(歷史主義, Historicism)라는 말을 사용할 때가 더 많습니다.

실증사관에 입각하여 역사를 기술(記述)한 대표적 인물은 19세기 독일의 저명한 역사가 레오폴드 폰 랑케(Leopold von Ranke, 1795~1886)입니다.

랑케

랑케는 역사를 최대한 <객관적으로> 혹은 <사실 그대로> 기록하기를 원하였습니다. 그래서 사료(史料) 비평에 매우 힘썼습니다. 그리고 역사가는 당파심(黨派心)에서 자유로워야 한다고 믿었습니다.

그의 관심은 정치사에 집중돼 있어서, 경제사나 사회사는 등한시됩니다.

그는 유럽 중심주의를 벗어나지 못했다는 비판을 받습니다.

유물사관

유물사관(唯物史觀, Marxist Historiography)은 마르크스주의를 신봉하는 사람들의 역사관입니다.

> 역사적 유물론(歷史的 唯物論, Historical Materialism) 혹은 사적 유물론(史的 唯物論)이라고도 합니다.

독일의 사회사상가 카를 마르크스(Karl Marx, 1818~83)가 주창하였습니다.

유물론

유물론(唯物論, Materialism) 또는 물질주의(物質主義)는 만물의 근원을 물질로 보고, 모든 정신 현상도 물질의 작용이나 그 산물이라고 주장하는 이론입니다. 유물론의 핵심 명제는 다음과 같습니다.

> 존재가 의식을 규정한다.

유심론

유심론(唯心論, Spiritualism)은 현실 세계를 정신의 산물이거나, 단순한 환영(幻影)에 불과하여, 실지로 존재하지 않는다고 보는 이론입니다. 유심론의 핵심 명제는 다음과 같습니다.

> 의식이 존재를 규정한다.

<카를 마르크스>
1875년

유물사관에서는 사회를 **상부구조**와 **하부구조**로 나눕니다.

상부구조: 비경제 영역 (정치, 법률, 사상, 예술 등)
하부구조: 경제 영역

존재가 의식을 규정한다는 명제를 유물사관에 적용하면, 다음과 같이 됩니다.

하부구조가 **상부구조**를 결정한다.

달리 말해, 사회의 모든 영역 중에서 경제 영역이 제일 중요하다는 것입니다.

유물사관은, 사회가 다음과 같이 다섯 단계로 발전한다고 봅니다.

1. 원시 사회
2. 노예제 사회[1]
3. 봉건주의 사회
4. 자본주의 사회
5. 사회주의 내지 공산주의 사회

그러나 마르크스는, 이와 같은 역사 발전 모델이 아시아에는 적용되기 어렵다고 보았습니다. 그래서 <아시아적 생산양식>이라는 말을 만들어 내었습니다.

> 중국 등 아시아 여러 나라에서는 왕, 황제 등 전제 군주를 제외한 모든 사람이 그 군주의 노예로 간주되었다는 것이 마르크스의 입장이었습니다.
>
> 마르크스가 보기에, 동양에서는 국가가 토지를 독점 소유했고, 이를 통해 강력한 정치력과 군사력을 가지게 되었고, 관개 사업을 통해 토지에 대한 통제를 유지했습니다. 마르크스는 이런 국가의 우세함의 원인을, 촌락이 토지를 공동소유하여 자급자족하였고, 그 촌락들끼리는 서로 고립되어 있었다는 데서 찾았습니다.
>
> 그러나 <아시아적 생산양식>이라는 개념은, 아시아 여러 나라에서는 전제주의를 뿌리뽑기 어렵고, 사회가 역동적으로 발전할 가능성이 낮다는 생각을 합리화해 줄 수가 있습니다. 즉, 식민주의를 정당화해 줄 우려가 있습니다. 당연히 많은 비판을 받고 있습니다.

---

[1] 영국에서 노예제도가 폐지된 것은 1833년의 일이며, 미국에서는 1865년에야 노예제도가 폐지되었습니다. 즉, 산업혁명이 본궤도에 올라간 이후에야 노예제도가 폐지된 것입니다. 우리나라에서는 1894년 갑오개혁 때 노예제도가 공식적으로는 폐지되었지만, 실질적으로는 1930년대까지도 유지되었습니다.

비트포겔

독일 출신의 중국학자였던 카를 아우구스트 비트포겔(Karl August Wittfogel, 1896~1988)은 마르크스의 이론을 변형하여, <정체성 이론> 내지 <수력 사회론>을 제시했습니다.

비트포겔은 1920년 독일 공산당에 가입하였습니다. 하지만, 1939년 히틀러와 스탈린 사이에 독소불가침조약이 체결된 후 공산주의에 회의를 느끼기 시작하였고, 2차대전 이후 반공주의자로 전향하였습니다.

그는 1947년부터 1966년까지 미국 시애틀(Seattle) 소재 워싱턴 대학교 중국사 교수로 활약하였습니다.

비트포겔에 의하면, 중국을 위시한 아시아 여러 나라 사회는, 관개농업(灌漑農業) 내지 치수(治水)가 중요한 '수력사회'(水力社會, hydraulic society)였습니다. 이런 사회에서는 관개 시스템을 독점한 중앙 정부의 권력이 강화될 수밖에 없고, 결국 전제 정치가 고착될 수밖에 없다는 것입니다.

비트포겔은, 러시아가 독재 국가가 된 것은, 중국의 영향을 받은 몽골의 지배를 오래 받았기 때문이라 보았습니다.

몽골 사람들은 1237년 러시아에 침입하여, 1240년 키예프대공국(Kiev 大公國)을 멸망시켰고, 1242년 킵착(Kipchak) 칸국을 건설했습니다. 러시아가 몽골의 지배로부터 벗어난 것은 1480년의 일이었습니다.

주관주의 역사관

"객관적 역사 서술이 과연 가능한가?" 이런 질문 앞에서 아무리 실증사관을 강력히 주장하는 사람이라도 "얼마든지 가능하다"는 대답을 쉽게 하지 못할 것입니다. 그래서 주관주의 역사관은, 역사가 및 역사 고찰자의 주관을 매우 중요시합니다. 주관주의 역사관을 피력한 대표적 인물은 영국의 철학자 겸 고고학자 겸 역사학자 로빈 조지 콜링우드(Robin George Collingwood, 1889~1943)였습니다.

역사관에 관한 콜링우드의 가장 중요한 책은 그의 사후(死後)인 1946년에 출간된 *The Idea of History*입니다.[1]

«역사란 무엇인가?»라는 유명한 책의 저자 E. H. 카(E[dward] H[allett] Carr, 1892~1982)는 콜링우드의 견해를 랑케의 견해 이상으로 자세하게 설명해 주고 있습니다. 그만큼 중요하게 본다는 뜻이겠지요.

콜링우드는 인류의 역사를 사유(思惟) 혹은 생각의 역사로 봅니다. 그가 철학 공부를 많이 한 사람이라는 점을 감안하면, 충분히 이해가 됩니다. 그렇다고 그가 역사적 사건 혹은 사실에 관한 연구를 등한시한 것은 아닙니다. 그가 고고학자이기도 했다는 것은, 그가 역사적 사실 자체를 아는 데 힘썼다는 것을 의미합니다.

---

[1] 이 책은 «서양사학사»라는 제목으로 김봉호 교수(1926~2002)에 의해 번역되어, 1976년에 처음 출간되었고, 2017년에 개정 초판이 탐구당에서 간행되었습니다.

콜링우드

콜링우드가 주관주의자라 해서 역사적 사실 자체를 외면한 것은 아닙니다. 오히려 그는 역사에 관심이 별로 없었거나 적었던 18세기까지의 전통적 서양 철학자들을 비판합니다.

다만, 아무리 부지런한 역사가라 할지라도, 과거 역사가 남긴 모든 사료를 다 섭렵할 수는 없는 것이고, 자기의 연구 목적에 맞는 것만을 취사선택할 수밖에 없다고 보았습니다. 사료의 취사선택에는 당연히 역사가의 주관이 개입됩니다. 그리고 선택된 사료의 해석에도 주관이 개입합니다. 콜링우드는 바로 이 사실에 주목합니다.

그리고 어떤 경우는, 사료가 아예 존재하지 않습니다. 콜링우드는 이 경우 내삽법(內揷法, Interpolation)을 사용해야 한다고 봅니다.

내삽법은 원래 수학에서 사용하는 방법입니다. 보간법이라고도 합니다.

역사 연구에서 내삽법은, 사료가 없는 것에 대해 기존의 여러 사료를 가지고 추정하여 보완하는 방법입니다.

콜링우드는 역사가가 내삽법을 사용할 때, 역사적 상상력을 동원해야 한다고 합니다. 이때 역시 역사가의 주관이 개입될 것입니다.

그러나 콜링우드처럼 주관에 과도한 의미를 부여하게 되면, 무엇이 올바른 역사 인식인지를 도무지 분간할 수 없게 될 것입니다. 그래서 어떤 역사가가 자기 및 자기 당파에 유리하게 역사를 왜곡, 조작한다 해도 대응 논리를 찾기가 불가능해질 것입니다.

절충주의 역사관

영국의 외교관이자 역사가였던 E. H. 카는 아까 언급한 «역사란 무엇인가?»[1]라는 책에서 실증주의와 주관주의의 중간 지점에서 절충주의적 역사관을 제시하였습니다. 그의 책은 다음과 같이 여섯 부분으로 구성되어 있습니다.

1. 역사가와 그의 사실들 (The Historian and His Facts)
2. 사회와 개인 (Society and the Individual)
3. 역사와, 과학과, 도덕 (History, Science and Morality)
4. 역사에서의 인과 관계 (Causation in History)
5. 진보로서의 역사 (History as Progress)
6. 지평선의 확대 (The Widening Horizon)

---

[1] 김택현 교수가 번역한 이 책은 1997년 초판이 간행되었고, 2015년에 개역판이 나왔습니다.

E. H. 카

여기서 역사관과 관련해 가장 중요한 부분은 첫째 부분일 것입니다. E. H. 카의 핵심 명제는 다음과 같습니다.

> 역사란, 역사가와 그의 사실들의 끊임없는 상호 작용의 과정이며, 현재와 과거 사이의 끊임없는 대화다.
>
> History is a continuous process of interaction between the historian and his facts, and unending dialogue between the present and the past.

카에 의하면, 역사가는 현재를 대변합니다. 즉, 오늘을 사는 우리의 문제의식을 가지고 역사에 접근합니다. 그렇다고, 과거의 사실을 사실 그대로 보여 주려는 노력 또한 게을리해서는 안 된다고 생각합니다.

그러나 필자가 보기에 카는, 무엇이 진보인지를 명확히 제시한 것 같지는 않습니다. 만약 세계화를 진보로 본 것이라면, 외적인 현상만을 본 것입니다. 인류의 보편적 가치 및 역사의 궁극적 목적에 대한 치열한 고민은 우리의 몫으로 남겨졌다 여겨집니다.

순환사관

순환사관(循環史觀)은, 역사가, 비슷한 성격의 사건들이 반복되면서, 다시금 출발점으로 회귀(回歸)하는 방식으로 진행된다고 봅니다.

불교(佛教)의 윤회설(輪回說)은 순환사관과 유사한 점이 많습니다.

중국에는 왕조(王朝) 순환사관을 신봉하는 사람들이 있습니다. 예컨대, 맹자(孟子, 372~289 BC)는 500년마다 왕조의 흥망성쇠가 반복된다고 말하고, '일치일난'(一治一亂)이라는 표현을 만들어 내었습니다.

치세(治世)	난세(亂世)
요순(堯舜) 시대	하(夏) 걸(桀) 왕
은(殷) 탕(湯) 왕	은(殷) 주(紂) 왕
주(周) 문왕(文王)	주(周) 유왕(幽王)

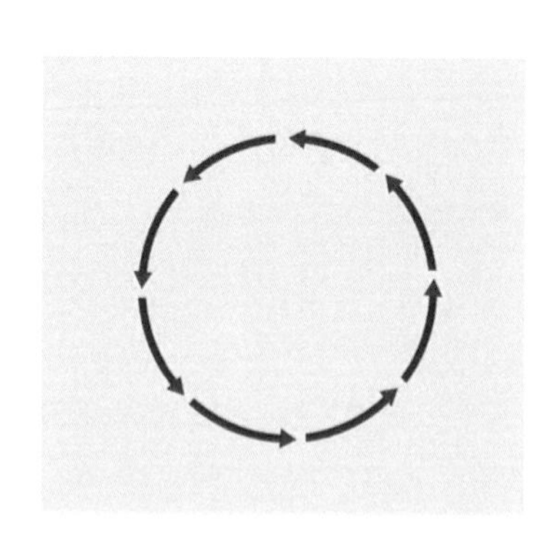

직선사관

기독교 역사관을 지지하는 사람들은, 역사가 천지 창조부터 세계 종말까지 <일직선>으로 진행한다고 믿습니다.

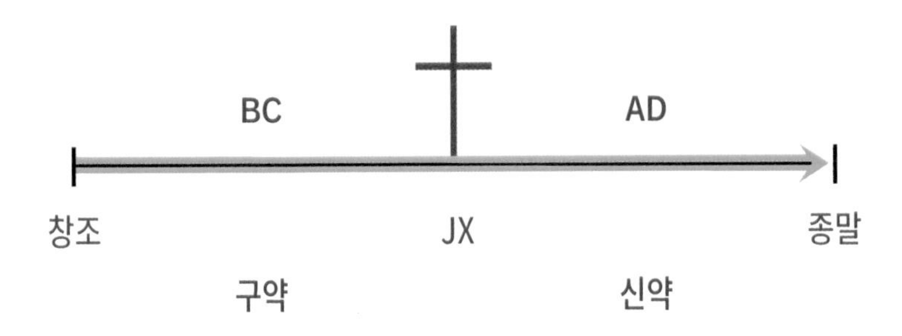

직선사관을 주장한 대표적인 기독교 사상가는 «신국론»을 저술한 교부 어거스틴(354~430)이었습니다.

<어거스틴 초상화>
AD 6세기, 로마 라테란 성당 벽화

제2장 역사 시대의 구분

역사 시대는 무려 5천년 이상 계속되어 왔습니다. 따라서 시대를 구분하여 살펴보는 것은 - 문제점이 없지 않음에도 불구하고 - 불가피한 일이라고 여겨집니다.

1. 보편사적 시대 구분

지금까지 세계사 책은 보통 서양 역사를 중심으로 시대 구분을 해 왔습니다. 그러나 세계화가 상당 수준 진행된 지금 언제까지나 서양중심주의를 고수할 수 없게 되었습니다. 그래서 시대 구분도 보편사적 관점에서 해야 할 필요가 있다는 데 많은 사람들이 공감하게 되었습니다.

> 오늘날 보편사(普遍史, Universal History)는 세계의 역사를 백인 중심, 서양 중심으로 보는 방식에서 벗어나, 세계의 모든 민족과 지역이 동등한 지위와 가치를 지닌다는 관점을 반영하고 있습니다.

오늘날의 보편사에서는 인류 역사를 다음과 같이 대구분(大區分)하고 있습니다.

선사시대

고대 (BC 3000? ~ ?AD 500)

고전후 시대 (500? ~ ?1500)

근대 (1500? ~)

여기에서 우리에게 생소한 용어는 아마도 '고전후(古典後) 시대'일 것입니다.

고전후 시대를 영어로는 Post-Classical Era라고 합니다.

'고전후 시대'라는 용어는 기존의 '중세'라는 용어를 대체하기 위해서 만들어졌습니다. 이는, '중세'라는 용어가 서양중심주의의 산물이라고 생각되기 때문입니다.

그러면, '고전후 시대'라는 용어는 어떻게 나왔습니까? 필자가 볼 때, 이 용어는, '고전 고대'가 있었다는 전제 하에서 만들어진 것 같습니다.

고전 고대를 영어로는 Classical Antiquity라 합니다.

'고전 고대'라는 말은 본디 서양사에서 사용하던 말입니다. 그렇다면, 이 말을 참작하여 만들어진 '고전후 시대'라는 말도 서양중심주의에서 완전히 자유롭다고 보기는 어려울 것 같습니다.

고전 고대는 BC 8세기부터 AD 5세기까지 시대를 지칭합니다. 그리고 이 시대에는 세계 역사에 큰 영향을 미친 고전들이 여럿 만들어졌습니다. 고전 고대의 서양에서 만들어진 책의 예를 좀 들겠습니다.

- 호메로스(BC 8세기)의 «일리아스»와 «오뒷세이아»
- 소포클레스(BC 497/496~406/405)의 «오이디푸스 왕»
- 플라톤(427~347 BC)의 «국가론»
- 아리스토텔레스(384~324 BC)의 «니코마코스 윤리학»
- 베르길리우스(70~19 BC)의 «애네이스»
- 어거스틴(354~430 AD)의 «고백록»과 «신국론»

고전 고대 동양의 고전은 대부분 종교와 관련이 있습니다. 예를 들어, 노자(老子, 571?~?471 BC)의 «도덕경»(道德經)은 도교(道教)의 경전이고, «사서삼경»(四書三經)은 유교(儒教)의 경전입니다. «사서삼경»의 목록은 다음과 같습니다.

사서: 논어(論語), 맹자(孟子), 대학(大學), 중용(中庸)
삼경: 시경(詩經), 서경(書經), 역경(易經)

2. 동양의 시대 구분

동양의 시대 구분은 대체로 왕조 내지 정치체제 중심으로 이루어져 왔습니다.

중국사의 시대 구분

선사시대
[고국시대(古國時代)][1] (BC 3800? ~ ?2070)
고대 (BC 2070? ~ AD 420)
고전후 시대 (420~1368)
근대 (1368~)

---

[1] 삼황오제(三皇五帝)의 시대.

고대에 속하는 중국의 왕조는 다음과 같습니다.

하(夏) (BC 2070? ~ ?1600)
상(商) (BC 1600? ~ ?1046)
주(周) (BC 1046? ~ ?256)
춘추시대 (BC 770~403) 전국시대 (BC 403~221)
진(秦) 제국 (BC 221~206)
서초(西楚) (BC 206~202)
한(漢) (BC 202 ~ AD 220) [전한(前漢) (BC 202 ~ AD 9)]
신(新) (AD 9~23) [후한(後漢) (AD 25~220)]
삼국시대 (220~280)
위(魏) (220~265) 촉(蜀) (221~263) 오(吳) (229~280)
진(晋) (265~420)
서진(西晋) (265~316) 동진(東晋) (316~420)
오호십육국시대(五胡十六國時代) (304~439)
남북조 시대(南北朝時代) (386~589)

고전후 시대에 속하는 중국의 주요 왕조는 다음과 같습니다.

수(隋) (581~619)
당(唐) (618~907)
오대십국시대(五代十國時代) (907~979)
송(宋) (960~1279)
북송(北宋) (960~1127) 남송(南宋) (1127~1279)
요(遼) (916~1125) 금(金) (1115~1234) 서하 (1038~1227)
원(元) (1271~1368)

근대에 속하는 중국의 왕조는 다음과 같습니다.

명(明) (1368~1644)
청(淸) (1616~1911)

현대의 중국 역사는 다음과 같이 요약됩니다.

신해혁명(辛亥革命) (1911)으로 청나라 멸망
중화민국(中華民國) (1912~49)
제1차 국공내전(國共內戰) (1927~37)
중일전쟁 (1937~45)
제2차 국공내전(國共內戰) (1946~50)
중화민국 정부 대만으로 이전 (1949)
중화인민공화국 (1949~)

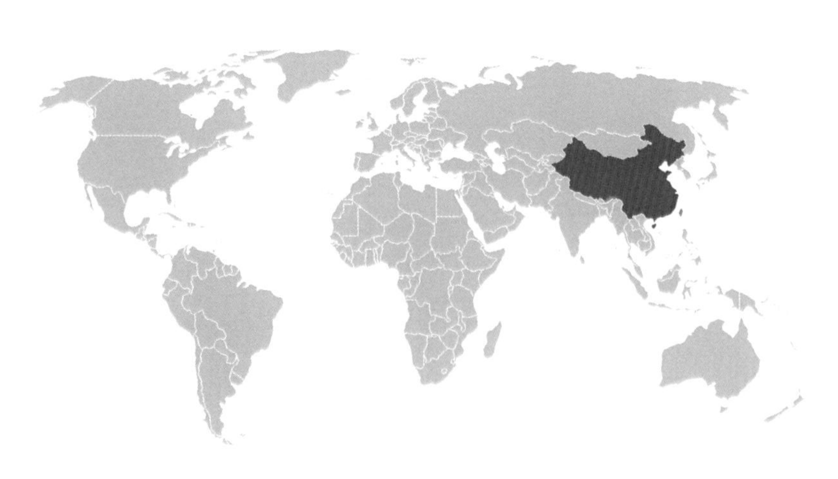

중국 위치도

일본사의 시대 구분

선사시대
고대 (AD 250?~1185)
[일본식] 중세 (1185~1573)
근대 (1573~)

★ 동북아의 변방에 위치한 일본은, 고대 문명이 매우 늦게 시작하였습니다. 중세의 시작 시점 역시 많이 늦추어졌습니다.

일본의 고대는 다음 네 시대로 구분됩니다.

고분시대(古墳時代) = 고훈지다이 (250?~538)
[야마토(大和) 시대 (250?~710)]
아스카(飛鳥) 시대 (538~710)
나라(奈良) 시대 (710~794)
헤이안(平安) 시대 (794~1185)

나라 및 헤이안 위치도

일본의 중세는 다음 두 시대로 대분(大分)됩니다.

가마쿠라(鎌倉) 시대 (1185~1336)
무로마치(室町) 시대 (1336~1573) [= 아시카가(足利) 시대]

무로마치 시대 초기에 **남북조시대**(1336~92)가 잠시 있었고, 후기에 **전국시대**(1467~1573)가 있었습니다.

전국시대는 일본 무사(武士), 곧, 사무라이의 전성시대였습니다.

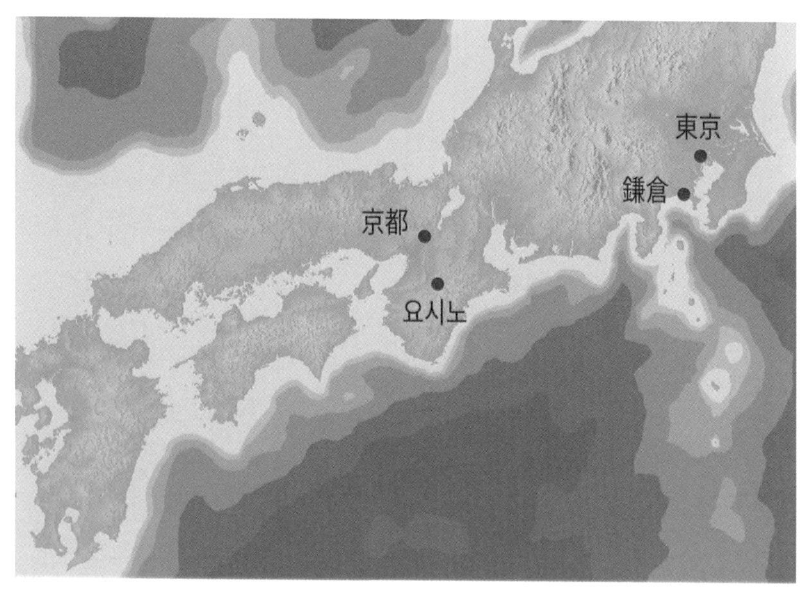

가마쿠라와 경도 위치도

가마쿠라는 현재의 일본 수도 동경(東京)의 남남서쪽 약 40km 지점의 사가미(相模)만에 위치합니다.

무로마치는 일본의 옛 수도 경도(京都) 안에 위치합니다.

일본의 근대는 1868년 메이지(明治) 유신(維新)을 기준으로 하여 다음 두 시대로 나뉩니다.

근세 (1573~1868)
근현대 (1868~)

일본의 근세는 다음 두 시대로 다시 나뉩니다.

아즈치모모야마(安土桃山) 시대 (1573~1603)
에도(江戶)[1] 시대 (1603~1868)

아즈치모모야마 시대의 중심 인물은 다음 두 사람입니다.

오다 노부나가(織田信長, 1534~82) [아즈치]
도요토미 히데요시(豊臣秀吉, 1537~98) [모모야마]

일본의 근현대는 다음 두 시대로 나뉩니다.

제국 시대 (1868~1945)
전후 시대 (1945~)

제국 시대의 일본 천황은 다음 세 사람입니다.

메이지(明治) (*1852, 재위 1868~1912)
다이쇼(大正) (*1879, 재위 1912~26)
쇼와(昭和) (*1901, 재위 1926~89)

---

[1] 현재의 일본 수도 동경의 옛 이름입니다. 1868년 이름이 바뀌었습니다.

인도사의 시대 구분

선사시대

고대 (BC 3300? ~ ?AD 650)

고전후 시대 (650? ~ ?1526)

근대 (1526?~)

인도의 고대는 다음 세 시대로 구분할 수 있습니다.

청동기 시대 (BC 3300? ~ ?1800)
철기 시대 (BC 1800? ~ ?200)
고전 시대 (BC 200? ~ ?AD 650)

인도의 철기 시대에 **베다(Veda) 시대(BC 1500? ~ ?600)**가 포함됩니다.

고대 인도에 세워진 중요한 제국은 다음과 같습니다.

마우리아(Maurya) 제국 (BC 322? ~ ?185)
쿠샨(Kushan) 제국 (AD 30? ~ ?375)
굽타(Gupta) 제국 (319? ~ ?550)

인도의 고전후 시대에 있었던 일 중 눈여겨봐야 할 것은 불교의 몰락과 이슬람 세력의 인도 진출일 것입니다.

인도에서 불교를 숭상한 마지막 제국은 **팔라(Pala) 제국(750?~1161)**이었습니다.

이슬람 세력의 인도 진출은 712년부터 시작되었습니다.

고전후 시대의 인도에 세워진 이슬람 국가 가운데 제일 중요한 국가는 **델리 술탄국(Delhi Sultanate)(1206~1526)**이었습니다.

델리 술탄국의 수도가 델리였습니다.

현재의 인도 수도 뉴델리는 델리의 신도시입니다.

인도 근대의 시작 연도는 보통, **무굴(Mughul) 제국(1526~1858)**이 성립한 연도를 기준으로 삼습니다.

그러나 포르투갈의 항해자 바스쿠 다 가마(Vasco da Gama, 1469?~1524)가 인도에 도착한 1498년을 기준점으로 삼는 것이 더 좋을 수 있습니다.

인도의 근대는 다음 세 시대로 나눌 수 있습니다.

근세: 무굴 제국 시대 (1526~1858)
최근세: 영국 식민지 시대 (1858~1947)
현대 (1947~)

인도 아대륙의 중요 도시

3. 서양의 시대 구분

서양에서는 역사 시대를 고대, 중세, 근대로 나누는 것이 보통입니다. 이러한 시대 구분법이 생기는 데 기여한 사람들은 르네상스 시대의 인문주의자들이었습니다.

르네상스 인문주의자들 입장에서는 그리스와 로마의 고대 문명이 찬란하게 꽃피던 시대가 그리웠습니다. 그래서 그들은 '고대와 지금 시대의 중간 시대'라는 의미의 '중세'(Middle Ages)라는 단어를 만들어 내었고, 중세를 '암흑 시대'(Dark Ages)라고 규정하였습니다.

르네상스 인문주의자들은 아직 근대와 현대를 구별할 필요를 느끼지 못하였습니다. 그들에게 중세 이후의 르네상스 시대는 '오늘날의 시대', 곧, 현대였습니다.

르네상스 인문주의자들은 자기네 시대를 '새 시대'라고 생각했습니다.

여기서 '새 시대'를 영어로 Modern Ages라 하는데, 영어 형용사 modern은 라틴어 형용사 modernus에서 유래하였습니다.

라틴어 형용사 modernus는 '오늘의', '새로운' 등의 뜻을 가지고 있습니다.

크리스토프 켈라리우스

르네상스 인문주의자들의 역사관을 참고하여, 역사 시대를 고대, 중세, 근대로 나누고, 이러한 시대 구분법에 따라 중고등학교의 역사 교육이 널리 실시되도록 만든 사람은 독일 동부의 작은 도시 짜이츠(Zeitz)의 인문계 고등학교 교장이었고, 나중에 할레(Halle) 대학교 수사학 및 역사학 교수로 활약한 크리스토프 켈라리우스(Christoph Cellarius, 1638~1707)였습니다.

크리스토프 켈라리우스

고대	중세	근대
3600? BC	476	1492/1517
~	~	~
476 AD (서로마제국 멸망)	1492 (서인도제도 발견) 1517 (종교개혁)	현재

서양의 고대

서양사에서는 고대의 시작 시점을 보통, 고대 메소포타미아 문명과 이집트 문명이 발상(發祥)한 때로 잡습니다.

고대 메소포타미아 문명은 BC 3600년 경에 시작한 것으로 보입니다.

고대 이집트 문명은 BC 3150년 경에 시작한 것으로 보입니다.

메소포타미아와 이집트는 유럽의 일부가 아닙니다. 그렇지만, 고대 그리스 문명(= 헬라 문명)의 발상에 지대한 영향을 미쳤기 때문에, 고대 메소포타미아 문명과 이집트 문명의 역사를 서양사의 취급 범위에 포함시킬 때가 많습니다.

유럽과 중근동

서양사에서는 고대가 끝나는 때를 보통 AD 476년이라 합니다. 이는, 이해에 서로마제국이 멸망했기 때문입니다.

로마제국이 서로마제국과 동로마제국으로 분열한 것은 AD 395년의 일이었습니다.

동로마제국은 보통 '비잔틴제국'(Byzantine Empire)으로 불립니다.

동로마제국은 1453년 멸망합니다.

서로마제국의 옛 영토에 영국, 프랑스, 이탈리아, 스페인, 포르투갈, 스위스, 벨기에 등 서유럽 여러 나라들이 세워졌습니다.

현재 독일 땅의 일부만 과거 서로마제국의 영토였습니다.

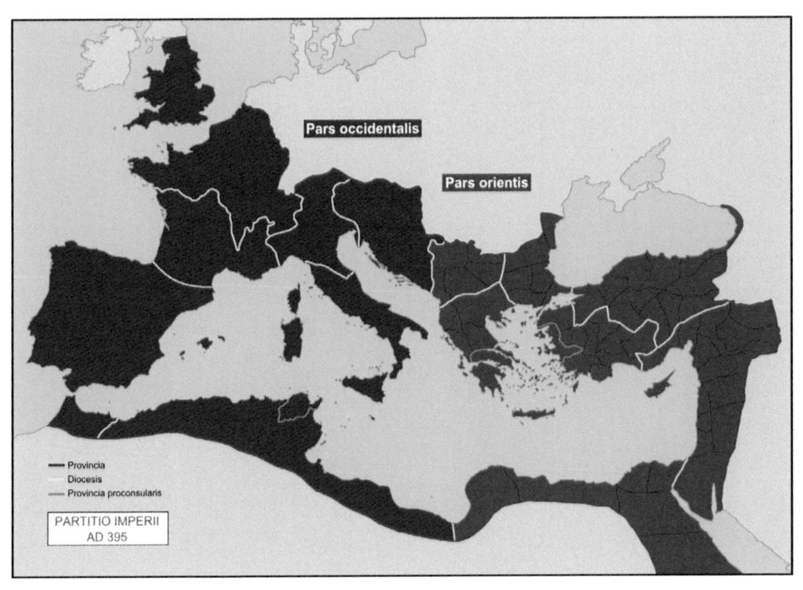

로마제국의 분열 (AD 395)

서양의 중세

서양의 중세는 보통 AD 476년 서로마제국의 멸망을 기점으로 합니다. 그리고 서양의 중세가 끝나는 것은 일반적으로 르네상스, 지리상의 발견 및 종교개혁을 기준으로 생각합니다.[1]

르네상스 (14세기 중엽 ~ 16세기 말)
지리상의 발견 (1492년 콜럼버스의 서인도제도 발견)
종교개혁 (1517년)

서양 중세의 역사는 약 1000년 간 계속되는 관계로 다음과 같이 세 시기로 구분될 때가 많습니다.

중세 초기 (476 ~ 10세기 중엽)
중세 중기[2] (10세기 중엽 ~ 13세기 말)
중세 말기[3] (13세기 말 ~ 15세기)

---

[1] 때로는 1453년 동로마제국(= 비잔틴제국)의 멸망을 기준으로 삼습니다.

[2] '중세 성기(盛期)'라고 할 때도 있습니다. 이는, 영어로 이 시기를 High Middle Ages라고 하기 때문인 것 같습니다.

[3] '중세 후기(後期)'라고 할 때도 있습니다. 영어로는 이 시기를 Late Middle Ages라고 합니다.

필자가 중세 중기의 시작 시기를 10세기 중엽으로 보는 것은, 오토 1세가 신성로마제국 황제로 등극한 것이 AD 962년이기 때문입니다.

독일 왕이던 오토 1세가 신성로마제국 황제로 등극함으로써, 서유럽의 역사는 전혀 새로운 국면으로 들어서게 됩니다.

신성로마제국은 1806년 나폴레옹에 의해 종말을 맞이하게 됩니다.

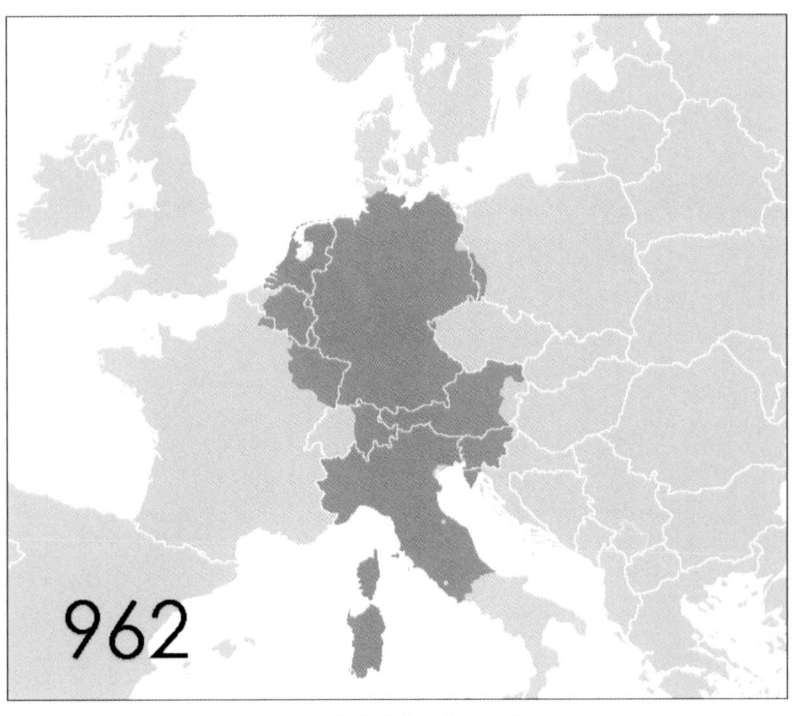

AD 962년의 신성로마제국 영토

출처: Wikimedia Commons

제작: Участник:Jaspe

서양의 근대

서양의 근대는 보통 다음과 같이 구분됩니다.

근세(Early Modern Ages) (1500? ~ ?1800)

최근세(Late Modern Ages) (1800? ~ 1945)

현대(Contemporary History) (1945 ~ 현재)

최근세의 기점을 1800년 경으로 잡는 것은, 1800년 전후 서양에는 다음과 같은 중요 사건이 있었기 때문입니다.

1776년 7월 4일 미국의 독립 선언

1789년 프랑스 대혁명 발발

1804년 나폴레옹의 황제 등극

현대를 1945년 이후로 보는 것은, 제2차 세계 대전이 1945년에 종료되었기 때문입니다.

현대 세계의 가장 중요한 사건은 1991년 말 소련이 붕괴함으로써, 냉전 체제가 종식된 일일 것입니다.

<알프스를 넘는 나폴레옹>

<히로시마의 원자운>

제3장 고대 문명

1. 고대 문명의 시작

구대륙의 고대 문명은 대하천 유역을 중심으로 시작되었습니다.

과거 중국과 일본에서는 양계초(梁啓超, 1873~1929) 등의 주장에 따라 '4대강 유역 문명'이라는 말이 많이 사용되었습니다.

여기서 4대강은 다음과 같습니다.

1) 이집트의 나일Nile) 강
2) 메소포타미아의 티그리스(Tigris) 강과 유프라테스(Euphrates) 강
3) 인도의 인더스(Indus) 강
4) 중국의 황하(黃河)

최근에는 요하(遼河) 문명론이 나왔습니다. 그리고 요하 문명의 주역이 배달 민족이라는 주장도 상당히 강합니다.

서양에서는 '4대강 유역 문명' 내지는 '4대 문명'이라는 말 대신 '문명의 요람'(Cradles of Civilization)이라는 말을 선호합니다.

고대 문명 중 가장 오래된 문명은 메소포타미아 문명입니다. 메소포타미아 문명은 BC 3600년 경 시작된 것으로 추정됩니다. 메소포타미아 문명의 최초 건설자는 수메르(Sumer) 사람들이었습니다.

수메르어는 한국어처럼 교착어(膠着語)라고 합니다. 그래서 어떤 학자들은 수메르 사람들과 배달 민족 간의 혈연적 관련성을 주장하기도 합니다.

고대 문명은 도시의 건설로 시작됩니다. 그리고 제국의 상당수는 도시국가가 발전하여 이루어졌습니다. 바벨론제국과 로마제국이 대표적인 예가 되겠습니다.

구대륙의 고대 문명 발상지

2. 기마 민족과 농경 민족의 대립

도시가 건설되기 위해서는, 먼저 건설될 도시 주변에 충분한 규모의 농경(農耕) 사회가 형성돼 있어야 합니다.

> 농산물을 거의 전적으로 외국과 같은, 먼 곳에서 공급받는다는 것을 전제로 도시를 건설한다는 것은 비현실적입니다.

그러므로 도시 문명은 대부분 농경 민족에 의해 이루어집니다.

<훈족의 기마전>
(오스트리아 화가 Johann Nepomuk Geiger[1805~80]의 1873년 경 작품)

농경 민족은 보통 평화를 사랑합니다. 대신 전쟁 준비를 소홀히하기가 쉽습니다.

고대에는 농경 민족 거주지 주변에 유목 민족이 많이 살았습니다. 우리가 '노마드'(nomad)라고 부르는 사람들이지요. 유목 민족은 짐승을 도축하는 일을 일상적으로 합니다. 그래서 한번 잔인하기로 마음을 먹는다면, 농경 민족하고는 비교하기 어려울 정도로 폭력적이 될 수 있습니다.

고대 문명의 중심지에 대한 유목 민족의 침략은 이미 수메르 문명에 대해서도 행해졌습니다. 수메르 문명은 셈족 계통의 유목민이었던 아모리(Amori) 족속에 의해 멸망하였습니다.

고대 이집트는 BC 1650년 경부터 BC 1550년 경까지 약 100년 간 힉소스(Hyksos)라는 유목민의 지배를 받았습니다.

힉소스 족속은 이집트에 말이 끄는 병거(兵車) 혹은 전차(戰車)를 처음으로 도입하였습니다.

병거를 탄 이집트의 파라오 람세스 2세(Ramses II, 재위 1279?~?1213 BC)

유목 민족의 전투력이 크게 향상되는 데는 말의 역할이 컸습니다. 말의 사육은 늦어도 BC 3500년 경에는 시작된 것으로 보입니다. 말 사육이 처음 시작된 지역은 중앙아시아 서부였습니다.

병거가 발명된 것은 BC 2000년 경 중앙아시아 서부 우랄 산맥 부근에서의 일이었습니다. 병거는 BC 18세기 이후 서남아시아에서 상당 기간 동안 매우 중요한 무기였습니다.

그러나 병거의 가장 큰 문제점은 지형의 제약을 많이 받다는 것이었습니다. 이러한 병거의 문제점을 해결한 것이 기마술이었습니다. 이 기술은 중앙아시아의 유목민, 특히 스키타이족이 발전시켰습니다.

스키타이족이 사용하던 황금 빗

스키타이족은 황금을 애호하였습니다. 그래서 스키타이족과 신라 사람들과의 연관성을 주장하는 분들도 있습니다.

신라 천마총 금관

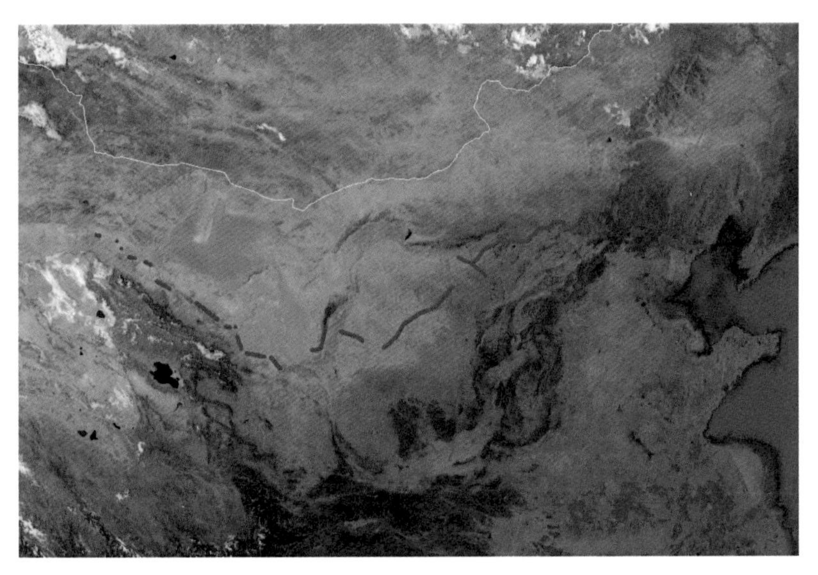

만리장성
(출처: Wikimedia Commons)

중국의 만리장성은, 이 장성 남쪽의 농경 민족인 한족(漢族)이 북방 유목 민족의 침략을 막기 위한, 매우 상징적인 방벽입니다.

3. 청동기 시대의 도래

인간은 석기(石器) 시대에도 금속에 대해서 알았고, 또 사용했을 것으로 생각됩니다. 다만, 농기구 등 주요 생산 도구나 창칼 등 무기의 제조에 금속을 본격적으로 사용하게 된 것은 금석병용기(金石竝用期) 이후의 일이라 여겨집니다.

삼시대 구분법

우리는 선사시대 및 고대를 석기시대, 청동기 시대, 철기 시대로 구분하는 데 익숙해 있습니다. 이 같은 시대 구분법을 우리는 '삼시대 구분법'(Three Age System)이라 하지만, 이 방법을 처음 제시한 사람은 덴마크의 고고학자 크리스티안 톰센(Christian Thomsen, 1788~1865)였습니다.

크리스티안 톰센

청동기의 문화사적 의미

청동(靑銅)은 구리와 주석의 합금입니다. 구리는, 그 광석이 전 세계에 걸쳐 널리 분포해 있고, 다른 금속보다 가공하기가 쉽기 때문에, 매우 일찍부터 많이 사용되었습니다. 그래서 금석병용기에 가장 많이 사용된 금속은 구리였습니다. 그러나 구리는, 그 강도(强度)가 약하기 때문에, 농기구나 무기로 사용하기가 어려웠습니다.

그러다 인류의 문명이 탄생할 무렵, 누군가가 구리에 소량의 주석을 혼합하여 합금을 만드는 방법을 고안하였습니다. 청동은, 구리에 비해 강하고, 내구성도 좋아서, 농기구나 무기를 만드는 데 유리했습니다.

청동이 어디서 처음 사용되었는지는 명확하지 않습니다. 하지만 청동기를 사용하는 도시 문명을 최초로 일으킨 민족은 메소포타미아 남부의 수메르(Sumer) 사람들이었습니다.

청동기는 몽골 서북쪽에 위치한 알타이 산맥 부근에 살던 사람들에 의해 발명되었다는 학설이 있습니다.

청동기의 사용은 농업 생산력을 비약적으로 높였습니다. 이것은 인구 증가로 이어졌고, 도시국가의 건설을 가능하게 했습니다. 전쟁 수행 능력도 증대되었습니다.

4. 고대 오리엔트 문명의 초기 역사

'동방'을 의미하는 '오리엔트'라는 말은 서양 사람들, 특히 고대 로마 사람들 입장에서 만들어진 말입니다.

Orient라는 영어 명사는 '해 뜨는 곳'을 의미하는 라틴어 명사 oriens에서 유래하였습니다.

Occident(= '서방')라는 영어 명사는 '해 지는 곳'을 의미하는 라틴어 명사 occiens에서 유래하였습니다.

오늘날은 '오리엔트'라는 말 외에 '근동'(近東, Near East) 혹은 '중동'(中東, Middle East)이라는 말이 많이 사용됩니다.

'근동'과 '중동'을 합하여, '중근동'이라고도 합니다.
중근동에는 보통 이집트가 포함됩니다.

중근동의 중요성

중근동은 세계에서 가장 오래된 문명 발상지(發祥地)라는 점에서 중요합니다. 또한 서양의 고대사를 이해하는 데도 중근동의 역사를 아는 것이 필수적입니다. 또 이른 바 '아브라함 종교'라고 하는 유대교와, 기독교와, 이슬람교는 이 지역에서 기원하였습니다.

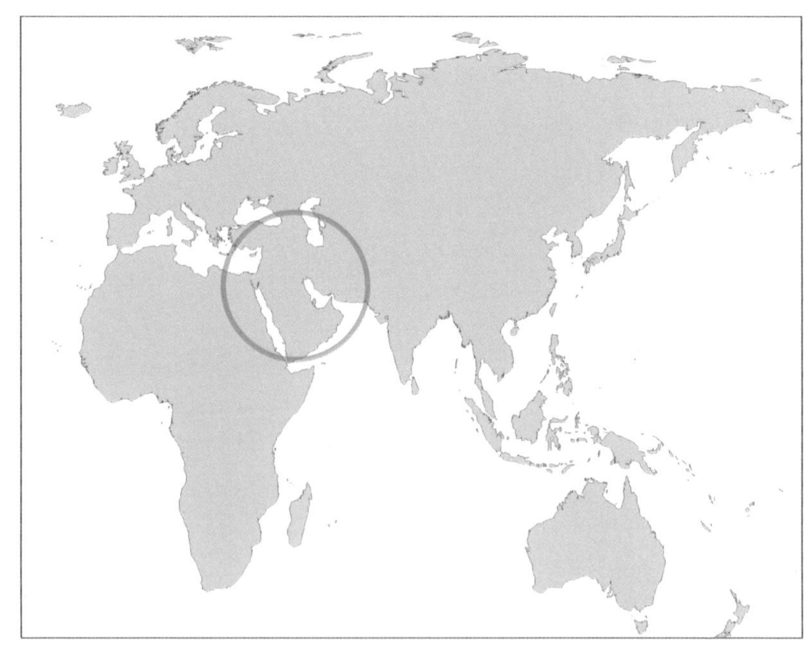

구대륙과 호주

영국의 지리학자 겸 지정학자 하퍼드 맥킨더(Halford Mackinder, 1861~1947)는 3개 구대륙, 곧, 유라시아 대륙과 아프리카 대륙을 합하여 '세계도'(世界島, World Island)라 지칭한 바 있습니다.

자세히 보면, 이 3개 대륙은 연결돼 있고, 전체가 바다에 둘러싸여 있습니다. 그래서 하나의 거대한 섬처럼 보입니다.

중근동은 아시아, 유럽, 아프리카를 잇는 교차로 상에 위치한다고 볼 수 있습니다. 그러니까, 중근동은 3개 구대륙 간의 문화 교류의 허브 역할을 할 수 있었습니다.

최소한 1492년 아메리카 대륙에 부속한 서인도제도의 발견 이전까지는 그랬습니다.

유럽에서 인도로 가는 가장 빠른 직선 코스는 중근동을 지나는 길이었습니다.

사막화와 문명의 발상

구약 성경에 나오는 노아의 홍수 이야기가 암시하듯, 아주 옛날에는 비가 많이 왔습니다. 그래서 먼 옛날에는 흑해와 카스피 해가 연결돼 있었을 수 있습니다. 고대에 페르시아 만이 지금보다 훨씬 더 넓었다는 것은 이미 정설입니다.

아프리카의 사하라 사막도 먼 옛날에는 사막이 아니라, 사반나(savanna), 곧, 열대 및 아열대 초원이었다고 합니다.

세계 여러 지역에 문명이 발상하기 얼마 전 – 대략 BC 4000년기 전반 – 사하라 사막과 아라비아 반도 등 북회귀선(북위 23.5도) 지나는 주변 지역 여러 곳과 중앙아시아 및 몽골 고원에 사막화가 시작되었습니다.

이 같은 사막화는 나일 강 유역, 메소포타미아 지역, 인더스 강 유역, 황하 유역 등의 인구 증가를 촉진하였을 것으로 생각됩니다. 아무래도 이들 지역은 사막 혹은 반사막(半沙漠) 지역보다 식량 조달이 더 쉬웠을 것이기 때문입니다.

하천 유역의 인구 증가는 도시의 발달에 기여하였습니다. 더구나 청동기의 발명으로 대표되는 기술의 진보는 하천 유역의 문명 발달을 촉진하였습니다.

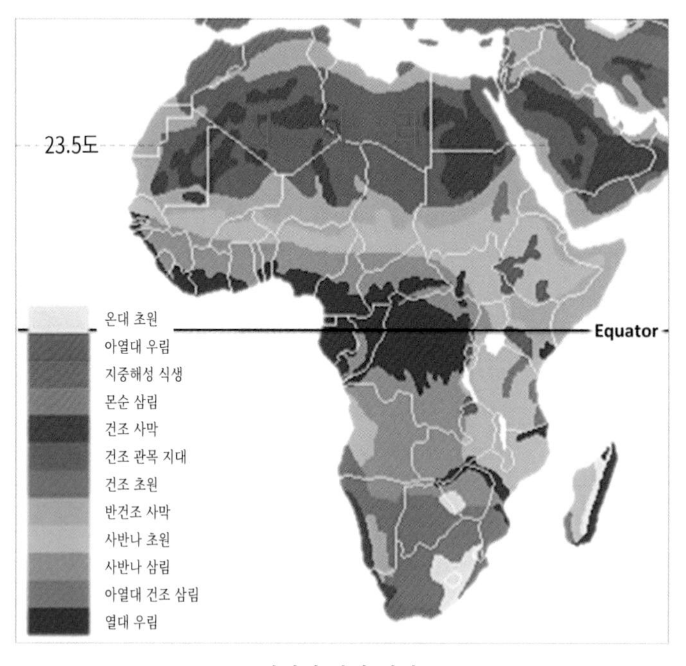

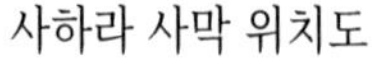
사하라 사막 위치도

비옥한 초승달 지대

중근동 지역에서 해안 지방과 나일 강 유역, 또 메소포타미아 지방은 사막화의 피해를 별로 입지 않았거나, 적게 입었습니다. 이 지역의 땅은 대부분 농사 짓기에 적합했고, 물의 공급도 비교적 원할한 편이었습니다. 그래서 나일 강 중류 유역부터 지중해 동해안 지방을 거쳐 메소포타미아에 이르는 지역을 '비옥한 초승달 지대'(Fertile Crescent)라 부릅니다.

이 지역을 '비옥한 반달형 지대'라 부를 때도 있습니다.

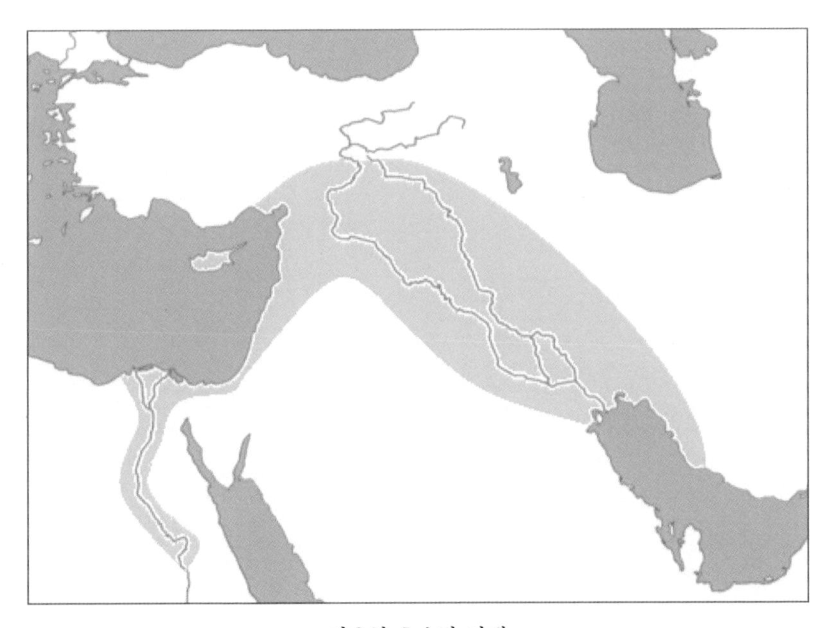

비옥한 초승달 지대

메소포타미아의 어원과 의미

'메소포타미아'(Mesopotamia)라는 지명은 헬라어에서 유래하였습니다.

Μεσοποταμία / Mesopotamia < μέσος / mesos (= '중간') + ποταμός / potamos (= '강')

즉, '강 사이의 땅'이라는 뜻입니다. 여기서 말하는 강은 티그리스(Tigris) 강과 유프라테스(Euphrates) 강을 지칭합니다. 물론, 유프라테스 강 서쪽 지방 일부와 티그리스 강 동쪽 지방 일부도 메소포타미아에 포함됩니다. 이 두 강의 유역을 다 메소포타미아에 포함시키는 것이 관행이기 때문입니다. 그러므로, 오늘날의 이라크 외에 시리아 동북부와 이란 서부 대부분 및 터키 동부 대부분이 메소포타미아에 들어갑니다.

참고로, 고대 수메르의 도시 우르(Ur)는 페르시아 만에 연(沿)한 항구도시였습니다. 그러니까, 페르시아 만은 지금보다 훨씬 더 넓었습니다.

수메르 문명의 탄생과 융성

수메르 문명은 BC 3600년 전후에 탄생한 것으로 추정됩니다. 수메르 사람들의 기원에 대해서는 확실히 알기가 매우 어렵습니다. 가장 유력하게 여겨지는 가설은, BC 4000년 경 (혹은 이보다 약간 늦게) 동쪽에서, 그러니까, 이란 고원 방면에서 이동해 왔다는 것입니다.

혹자는, 수메르 사람들이 고대 한국인과 같은 민족이었다는 주장을 하기도 합니다.

메소포타미아 위치도

수메르 사람들은 메소포타미아 지방 남부에 여러 개의 도시국가를 건설했는데, 그 중 중요한 도시국가는 다음과같습니다.

키쉬(Kish)	니푸르(Nippur)
움마(Umma)	라가쉬(Lagash)
우룩(Uruk)	라르사(Larsa)
우르(Ur)	에리두(Eridu)

아브라함 종교의 공통 조상인 아브라함은 우르 출신입니다.

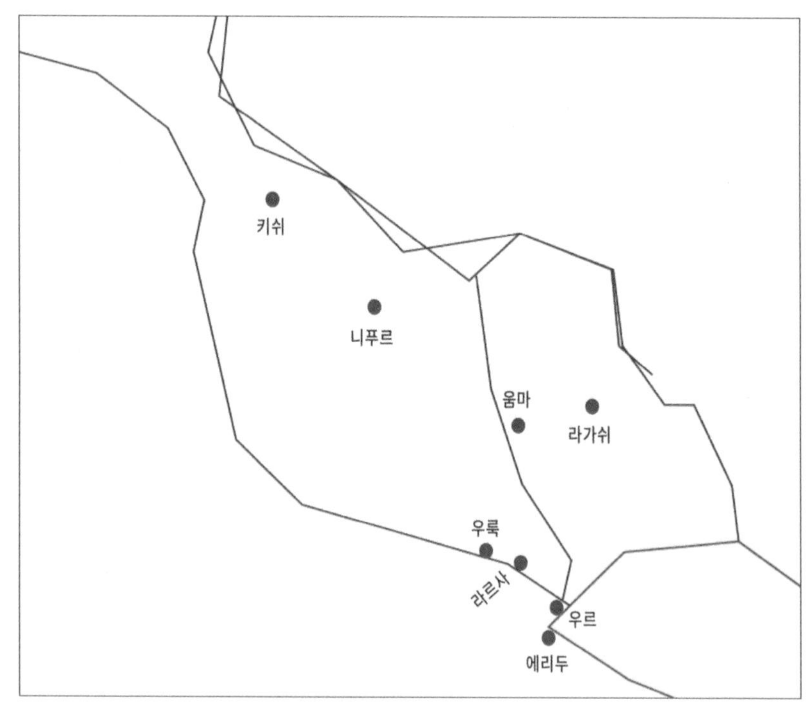

수메르의 주요 도시국가

메소포타미아 남부는 농경 문화를 발전시키기에 적당한 지리적 환경을 가지고 있었습니다. 땅은 비옥한 충적토(沖積土)로 되어 있었습니다. 유프라테스 강과 티그리스 강은 농업 용수를 충분히 공급해 주었습니다. 단, 홍수가 날 경우, 혹은 극심한 가뭄이 올 경우, 엄청난 재난을 당할 위험이 상존(常存)하고 있었습니다. 제방을 쌓거나 저수지를 짓고, 관개(灌漑) 수로를 만들면, 농사 짓기에 유리할 수 있었습니다. 수메르 사람들은 이 사실을 알았을 것입니다. 다만, 이를 위해서는 많은 사람들의 협업(協業)이 필요했습니다. 마을 정도의 시스템으로는 감당하기가 어려웠습니다.

수메르 사람들이 세운 도시는 그냥 도시가 아니라 일종의 도시국가였습니다. 그 국가는 제정일치(祭政一致)가 이루어지는 국가였습니다. 즉, 제사장이 권력을 행사하는 국가였습니다. 토지는 대부분 제사장 계급의 소유였고, 농민들은 대부분 소작농(小作農)이었습니다. 노예 계급도 있었습니다. 물론, 기술자들과 상인들도 있었습니다.

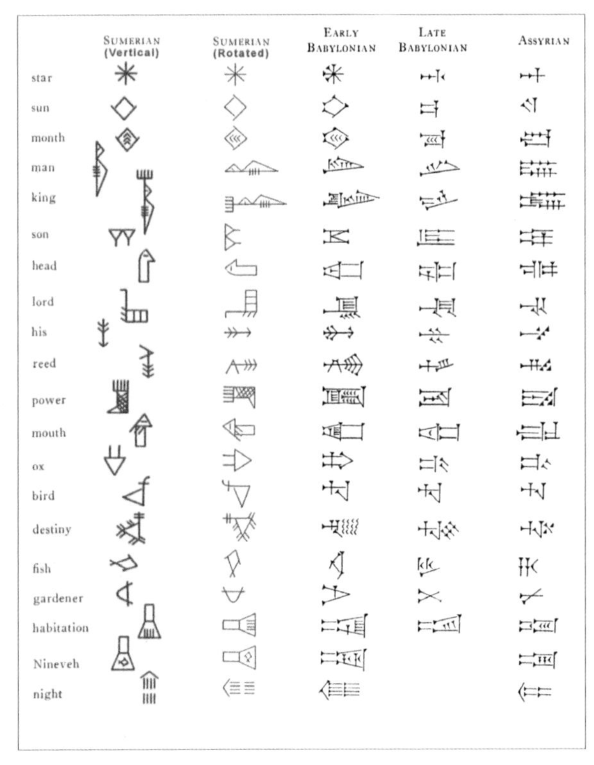

메소포타미아의 쐐기문자 (좌측: 수메르의 쐐기문자)

수메르 사람들은 – 현재까지 알려진 바로는 – 이집트의 상형문자와 함께 세계에서 가장 오래된 문자인 쐐기문자(cunieform)를 만들었습니다.

쐐기문자를 설형문자(楔形文字)라고도 합니다.

수메르 문명의 전성기는 **초기 왕조 시대(Early Dynastic Period)**일 것입니다. 이 시기는 대체로 BC 2900년 경부터 BC 2350년 경까지를 말합니다. 이 시대에 수메르의 여러 도시 국가들은 일종의 패권 경쟁을 벌였습니다. 이 시대의 주요 왕조는 다음과 같습니다.

키쉬 제1왕조	2900?~?2550 BC
우룩 제1왕조	2900?~?2500 BC
우르 제1왕조	2500?~?2400 BC
우룩 제2왕조	2500?~?2350 BC
라가쉬 제1왕조	2500?~?2350 BC

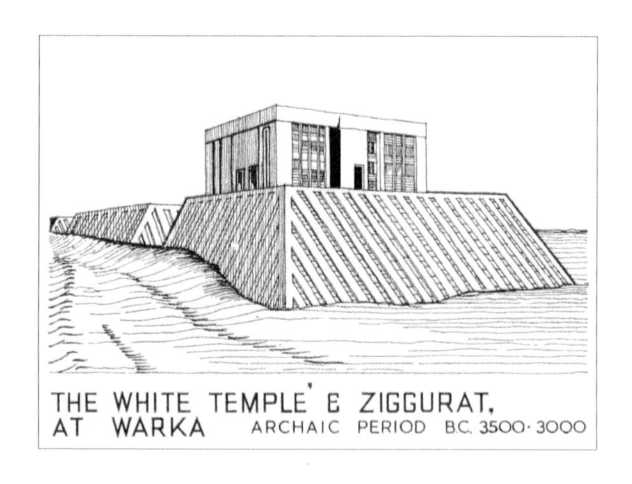

우룩의 지구라트

유명한 «길가메쉬 서사시»[1]의 주인공 길가메쉬(Gilgamesh)는 우룩의 왕이었습니다. 길가메쉬는 BC 27세기에 활약한 것으로 추정됩니다.

<사자를 길들이는 영웅 길가메쉬>
앗수르 왕 사르곤 2세의 궁전에 세워진 조각상 (BC 8세기 말)

[1] 김산해, «최초의 신화 길가메쉬 서사시» 2판 (서울: 휴머니스트출판그룹, 2021) 참조.

셈족과 비옥한 초승달 지대

셈족의 원주지에 대해서는 학설이 분분합니다. 그러나 늦어도 BC 3000년 경에는 아라비아 반도와 시리아의 사막 및 반사막(半砂漠) 지대에서 유목 생활을 하게 되었을 것으로 여겨집니다. 그리고 그들 중 일부는 메소포타미아로 이주했을 것으로 생각됩니다. 특히 문명이 일찍부터 발달한 수메르 땅에는, 셈족 계통의 사람들이 이주노동자, 용병 등의 형태로 많이 유입했을 것으로 보입니다.

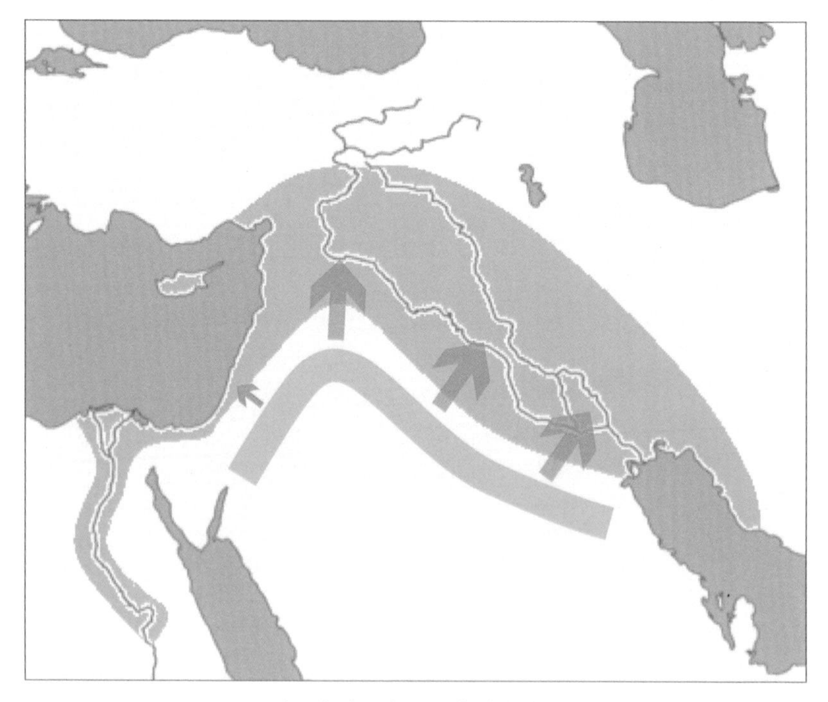

셈족의 비옥한 초승달 지대 침투

아카드 문명

아카드(Akkad) 문명은 셈(Sem) 족 계통의 아카드 사람들에 의해 건설되었습니다. 이 문명은, 아카드의 위대한 왕 사르곤(Sargon, 재위 2334?~2279 BC)이 인류 역사상 최초로 제국(帝國)을 세움으로써 이루어졌습니다. 사르곤 왕은 아카드어를 수메르를 포함한 메소포타미아 전체의 공용어(公用語) 내지 상용어(商用語, Lingua franca)로 만든 인물입니다.

이후 수메르어는 신전에서 사제(司祭)들이나 사용하는 종교적 언어로 전락하였습니다. 수메르어가 완전히 사라지는 것은 BC 2000년기 중반으로 보입니다.

사르곤 왕의 마스크

촬영: Hans Ollermann
출처: Wikimedia Commons

아카드의 정확한 위치는 알 수 없습니다. 다만, 수메르 북부 유프라테스 강변의 도시로 추정됩니다.

사르곤은 당시 수메르에는 없던 상비군 제도를 도입하여 강력한 군대를 육성했습니다. 그는 이를 기반으로 BC 2330년 경 수메르를 정복하였습니다. 그후 서북방으로 진출하여, 앗수르(Assur), 마리(Mari) 등 메소포타미아 북부도 장악하였습니다. 그리고 우가리트(Ugarit)와 페니키아 북부 지방을 자기 세력권으로 만들었습니다. 또 '은산'(Silber

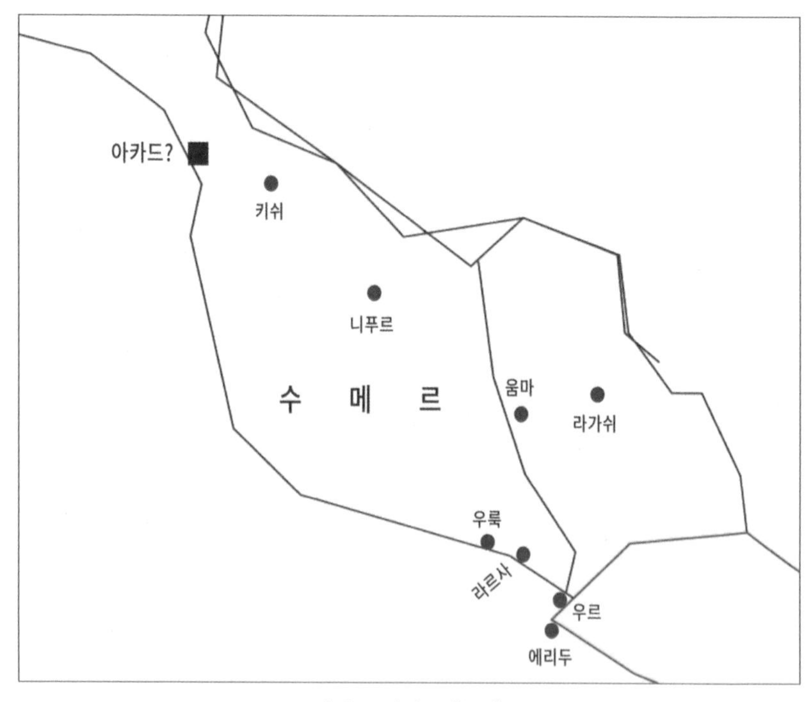

아카드 위치도 (추정)

Mountain)이라 불린 안티타우루스(Anti-Taurus) 산맥 방향으로도 정복 활동을 하였습니다.

사르곤은 수메르 동쪽에 위치한 엘람(Elam) 방향으로도 진출하였습니다. 그리하여, 엘람의 서부 지방을 자기의 영토로 만들고, 엘람과 그 주변 지역을 복속시켰습니다.

그는 해상 무역의 중요성을 잘 알았습니다. 그래서, 페르시아 만에 함대를 만들어, 멀리 인도와도 무역을 행하였습니다.

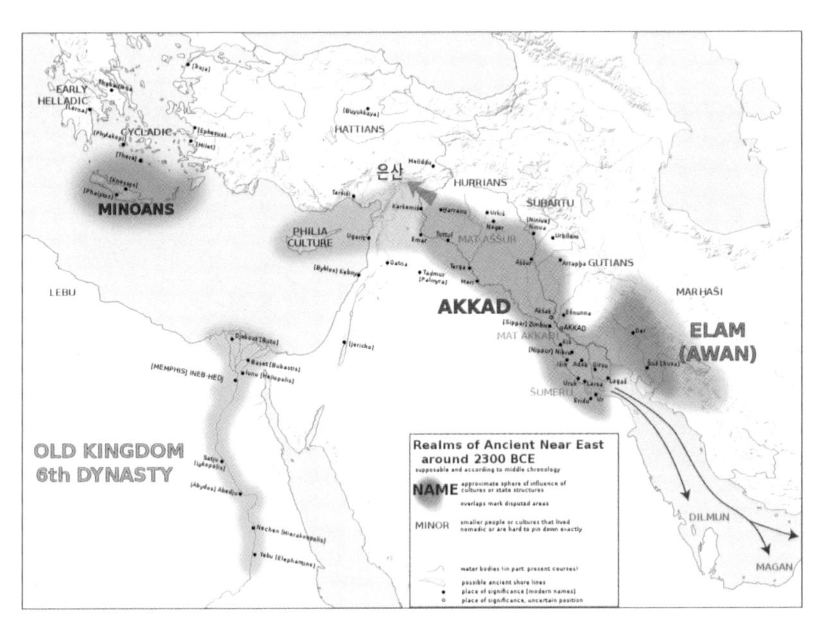

사르곤 시대의 오리엔트

제작: Enyavar
출처: Wikimedia Commons

바빌론 왕 함무라비의 시대

아카드 제국은 BC 22세기 중엽 멸망합니다. 그리고 BC 21세기 중엽 우르 제3왕조의 등장으로 수메르 문명이 일시 르네상스를 맞이합니다. 그러나 BC 21세기 말 우르 제3왕조가 몰락하고, BC 2000년 경부터 셈족 계통의 유목민이 메소포타미아에 침입하자, 메소포타미아는 분열 내지 혼란 상황에 빠졌습니다. 메소포타미아가 다시 정치적 통일을 이룬 것은, 바빌론 왕 함무라비(Hammurabi, 재위 1810?~?1750 BC)의 치세였습니다.

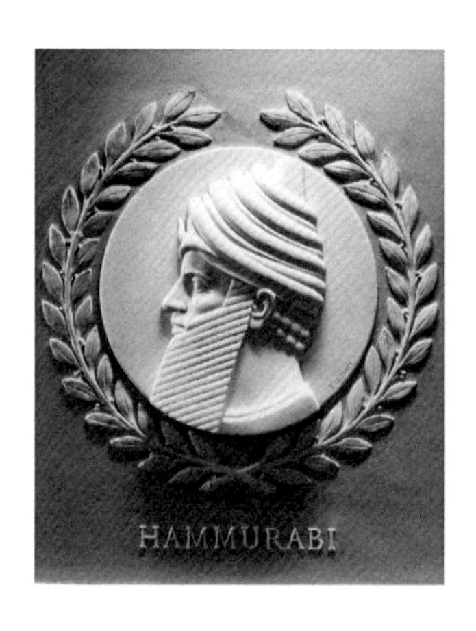

바빌론 왕 함무라비

유프라테스 강변의 도시 바빌론(Babylon) 혹은 바벨론은 바벨 탑으로 유명한 도시입니다. 이 도시가 역사에 등장하는 것은, 수메르 문명이 그 수명을 다해 가던 BC 2000년 경입니다. 이 도시를 중심으로 고(古) 바빌론 제국(Old Babylonian Empire)을 건설한 사람들은 셈족 계통의 아모리족이었습니다.

아모리 사람들은 바빌론 외에도 마리와 앗수르에도 도시국가를 건설했습니다.

함무라비는 유명한 «함무라비 법전»을 편찬하였습니다. «함무라비 법전»은 «로마 법전» 및 «나폴레옹 법전»과 함께 세계 3대 법전에 속합니다. 즉, 고대 오리엔트에서 편찬된 법전 중 가장 영향력 있는 법전입니다.

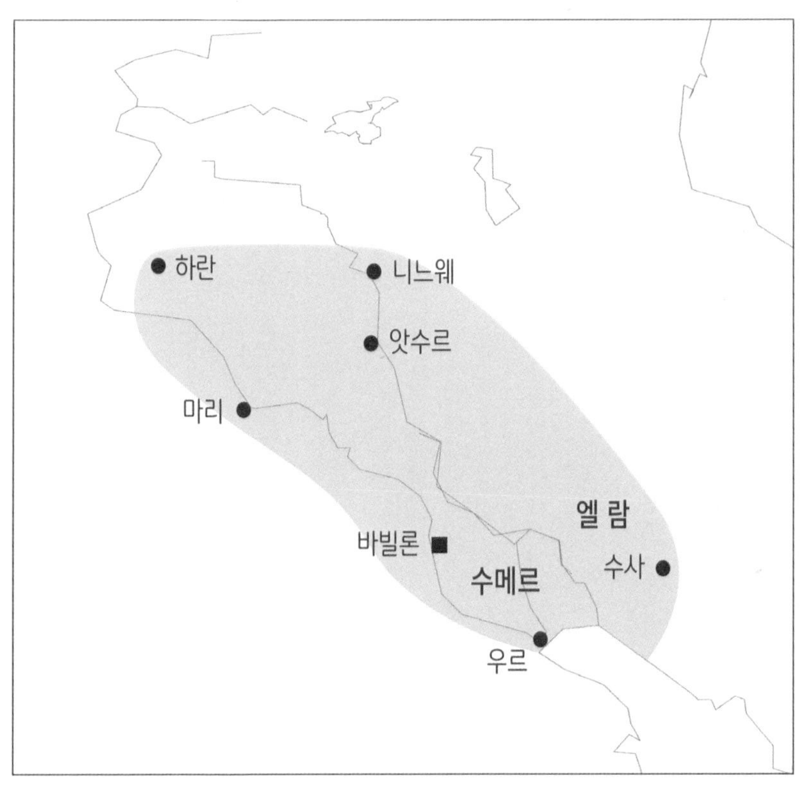

함무라비 치세의 바빌론 제국 영토

«함무라비 법전»을 라틴어로는 *Codex Hammurabi*, 영어로는 *Code of Hammurabi*라 합니다.

«함무라비 법전»은 **탈리오의 법칙**에 기반을 두고 있습니다.

탈리오의 법칙을 라틴어로 lex talionis라 합니다. 영어권에서는 이 말을 번역하지 않고 그대로 쓸 때가 많습니다.

라틴어 명사 lex는 '법'을 의미하며, talionis는 talio라는 명사의 소유격입니다. talio는 '복수'를 의미합니다.

우리말로는 동해보복법(同害報復法), 동태복수법(同態復讐法), 반좌법(反坐法) 등으로 번역됩니다.

이 법칙의 표어는 '눈에는 눈, 이에는 이'(eye for eye, tooth for tooth)입니다.

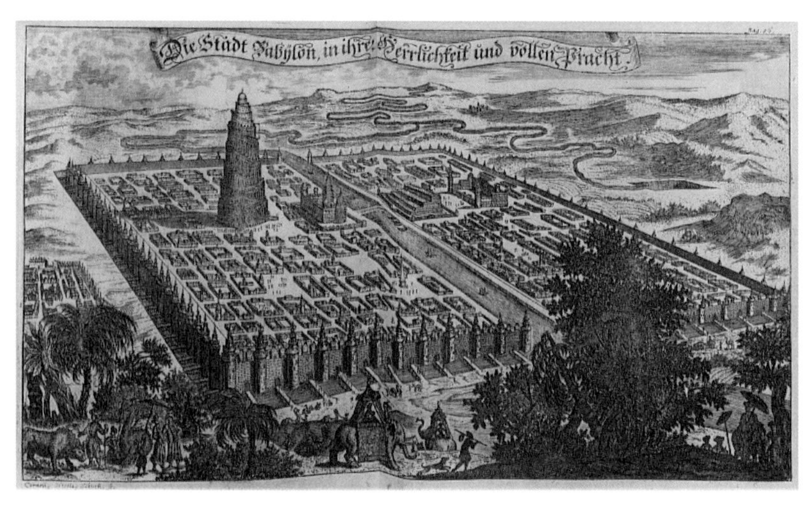

<바빌론의 옛 모습 상상도>

독일 박학가 Erasmus Fink(1627~94)의 1680년 작품

<함무라비 법전 석비> 윗부분

이 석비(石碑)의 아랫부분 뒷면에 «함무라비 법전»이 쐐기문자로 새겨져 있습니다.

<함무라비 법전 석비> 아랫부분 뒷면 일부

제196조 평민이 귀족의 눈을 쳐서 빠지게 하였으면, 그의 눈을 뺀다.

제198조 귀족이 평민의 눈을 쳐서 빠지게 하였거나, 뼈를 부러뜨렸으면, 은 1미나를 지불한다.

제200조 귀족이 자기와 같은 계급 사람의 이를 빠뜨렸으면, 그의 이를 뺀다.

제201조 귀족이 평민의 이를 빠뜨렸으면, 은 1/3미나를 지불한다.

고대 이집트 역사 개관

고대 그리스의 역사가 헤로도토스는 이집트를 '나일 강의 선물'이라 했습니다. 이는, 이집트의 국토 대부분이 사막인 관계로, 만약 나일 강이 없었다면, 이집트 문명은 이룩될 수 없었을 것이기 때문입니다.

현재 수도인 카이로 이북 지역만 연평균 20~200mm의 강수량을 보이고, 카이로 이남 지역은, 일년 내내 비 한 방울 내리는 일이 거의 없습니다.

참고로 서울의 연평균 강수량은 1258mm입니다.

이집트의 고대는 다음과 같이 구분됩니다.

초기 왕조 시대 (제1왕조 및 제2왕조)	3150?~2686 BC
고왕국 시대 (제3왕조 ~ 제6왕조)	2686~2181 BC
제1중간기 (제7왕조 ~ 제11왕조)	2181~2055 BC
중왕국 시대 (제11왕조 및 제12왕조)	2055~1650 BC
제2중간기 (제13왕조 ~ 제17왕조)	1650~1550 BC
신왕국 시대 (제18왕조 ~ 제20왕조)	1550~1069 BC
제3중간기 (제21왕조 ~ 제25왕조)	1069~664 BC
말기 왕조 시대 (제26왕조 ~ 제31왕조)	664~332 BC
고전 고대 Classical Antiquity	332 BC ~ 642 AD

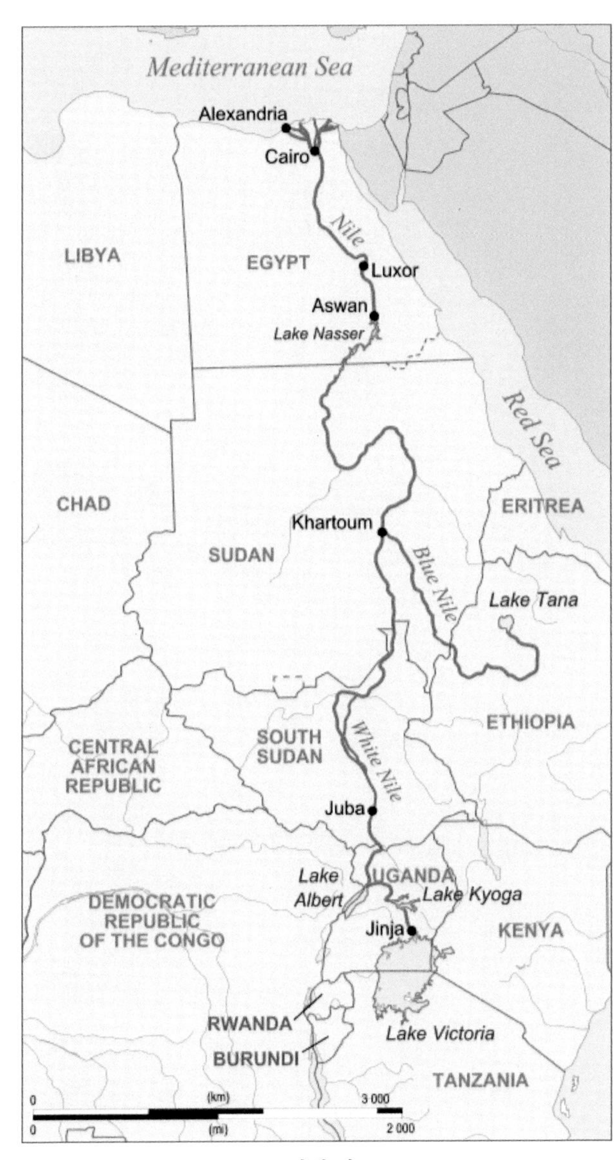
Mediterranean Sea
Alexandria
Cairo
Nile
LIBYA
EGYPT
Luxor
Aswan
Lake Nasser
Red Sea
CHAD
ERITREA
Khartoum
SUDAN
Blue Nile
Lake Tana
ETHIOPIA
CENTRAL AFRICAN REPUBLIC
SOUTH SUDAN
White Nile
Juba
UGANDA
Lake Albert
Lake Kyoga
DEMOCRATIC REPUBLIC OF THE CONGO
Jinja
KENYA
RWANDA
BURUNDI
Lake Victoria
TANZANIA
0
(km)
3 000
0
(mi)
2 000

나일 강

고대 이집트는 상(上) 이집트(Upper Egypt)와 하(下) 이집트(Lower Egypt)로 구분되었습니다.

상이집트는 멤피스(Memphis)보다 더 남쪽의 이집트를 가리킵니다.

하이집트는 멤피스를 포함하고, 멤피스 이북의 이집트를 가리킵니다. 특히 나일 강 삼각주 지역이 중요합니다.

상이집트와 하이집트

멤피스는 현재 이집트의 수도인 카이로보다 약 20km 남쪽에 위치합니다.

이집트의 역사 시대는, 상이집트와 하이집트가 통일을 이룸으로써 시작합니다.

상하 이집트를 최초로 통일한 사람은 메네스(Menes)라 합니다. 그는 원래 상이집트의 왕이었으나, BC 3150년 경 하이집트까지 지배하게 되었습니다. 이로써 고대 이집트의 제1왕조가 성립하였습니다.

제1왕조의 수도는 멤피스였습니다.

고대 이집트 사람들이 남긴 문화 유산 중 가장 유명한 것은 카이로 부근의 기자(Giza) 피라미드일 것입니다.

기자 피라미드는 고왕국 제4왕조 때 건설되었습니다.

고대 이집트에서는 최소 138기의 피라미드가 건설되었습니다.

<기자의 피라미드와 스핑크스>

오스트리아 풍경화가 Robert Alott(1850~1910)의 20세기 초 작품

<스핑크스 앞의 나폴레옹>
프랑스의 역사화가 Jean-Léon Gérôme(1824~1904)의 1886년 작품

스핑크스(Sphinx)는, 사자의 몸에 사람 머리가 달린 신화적 동물입니다. 스핑크스에 관한 신화는 이집트뿐 아니라 메소포타미아, 페니키아, 그리스 등지의 신화에서도 발견됩니다.

나폴레옹은 1798년부터 1799년까지 이집트와 시리아 원정을 행했습니다.

고대 이집트 사람들은 BC 32세기부터 상형문자(象形文字)를 사용하였습니다. 이를 통해 그들은 자기들의 생각과 감정을 기록으로 남길 수 있었습니다. 그들은 문자 기록을 위해 파피루스(Papyrus)도 발명하였습니다. 그러니까, 고대 이집트 사람들은 인류의 기록 문화의 발전에 큰 기여를 한 것입니다.

고대 이집트 사람들이 상형문자를 사용해 만든 문서 종류 가운데 중요한 것은 <사자의 서>일 것입니다.

<아니의 파피루스>에 기록된 상형문자
BC 1300년 경

<아니아 파피루스>는 <사자의 서>의 일종입니다. <사자의 서>는 사자(死者), 곧, 죽은 자에 관한 기억을 영구히 보존하기 위한 것입니다.

5. 고대 인도 문명과 중국 문명의 초기 역사

인더스 문명

인도의 문명은 BC 3300년 경 인더스(Indus) 강 유역에서 먼저 시작하였습니다. 인더스 문명의 가장 중요한 유적지는 하라파(Harappa)와 모헨조다로(Mohenjo-Daro)입니다.

인더스 문명을 일으킨 사람들은 메소포타미아의 수메르인들과 경제 교류 및 문화 교류를 하였습니다.

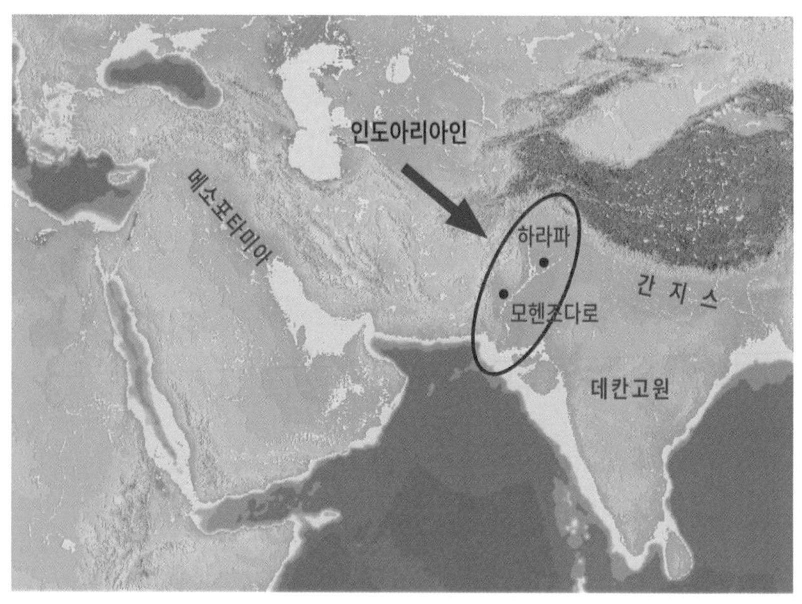

인더스 문명 관련 지도

인더스 문명은 BC 2000년 경부터 쇠락하기 시작합니다.

우연인지는 몰라도 수메르 문명도 비슷한 시기에 쇠퇴기를 맞이합니다.

인더스 문명이 완전히 몰락한 것은 BC 1500년 경입니다. 인더스 문명의 몰락 원인에 대해서는 다양한 학설이 있습니다. 하지만, 기후 변화 및 삼림 파괴로 인한 사막화가 주된 원인일 것으로 추정됩니다.

육류 소비를 위해 양과 염소를 과도하게 사육한 것도 삼림 파괴를 촉진한 것으로 여겨집니다.

과거에는 인도아리아인의 침입이 주요 원인으로 지목되기도 했습니다.

인도아리아인의 침입

인더스 문명을 일으킨 사람들이 어떤 인종 내지 민족인지는 확실하지 않습니다. 하지만 드라비다인(Dravida人)일 것이라는 학설이 상당히 유력합니다.

오늘날 드라비다인은 주로 인도 남부에 거주합니다. 그러나 인더스 강 유역에도 드라비다인의 거주 지역이 아직 남아 있습니다.

BC 2000년 경부터 BC 1500년 경 사이 중앙아시아 및 이란 고원 방면으로부터 인도아리아인이 침입하기 시작였습니다.

인도아리아인은 현재 인도 북부 및 파키스탄 인구의 대부분을 차지합니다.

인도아리아인은 인더스 강 유역뿐 아니라 간지스(Ganges) 강 유역에도 진출하였습니다.

인도아리아인의 침입 이후 인도에는 카스트 제도(Caste System)가 도입되었습니다.

카스트 제도

인도의 카스트 제도는 다음과 같이 네 개의 계급을 구분합니다.

브라만(Brahman): 성직자 및 학자
크샤트리아(Kshatrya): 왕족, 귀족, 전사
바이샤(Vaishya): 하급 관리, 자작농, 상인, 수공업자, 음악가 등
수드라(Shudra): 소작농, 농노, 어민, 노동자

* 달리트(Dalit): 불가촉천민 (계급 외)

황하 문명의 발상

황하(黃河)는 본디 흙빛의 누런색 강물을 의미합니다. 중국 북부에 황토(黃土)가 많은 것과 관련되는 것 같습니다.

오죽하면 천자문도 천지현황(天地玄黃)으로 시작하겠습니까?

황하 문명이 태동할 때 세워진 왕조가 하(夏) 왕조였습니다.

하 왕조는 BC 2070년 경 창건되어, BC 1600년 경 멸망합니다.

하 왕조의 창건자 우(禹) 임금(재위 2070?~?2061 BC)은 황하의 치수(治水)를 위해 힘썼다고 전해집니다.

하나라는 그 역사성을 의심받을 때가 있습니다. 그러나 하나라 다음에 세워진 상(商) 나라는 역사적으로 실지 존재했다고 여겨집니다.

상나라는 BC 1600년 경 창건되어, BC 1046년 경 멸망합니다.

상나라를 '은(殷) 나라'라고도 합니다. 이것은, 상나라 후기의 중요한 수도 이름이 은허(殷墟)인 것과 관련이 있습니다.

청나라 말기였던 1899년 중국의 금석학자(金石學者) 왕의영(王懿榮, 1845~1900)에 의해 갑골문(甲骨文)이 최초 발견되었고, 그것의 발견 장소인 은허에 대한 고고학적 발굴 작업이 1928년 시작되었습니다.

상나라 혹은 은나라 역사의 주역들은 화하족(華夏族)이 아니라, 동이족(東夷族)이라 생각됩니다. 동이족은 고조선을 세운 민족이기도 합니다.

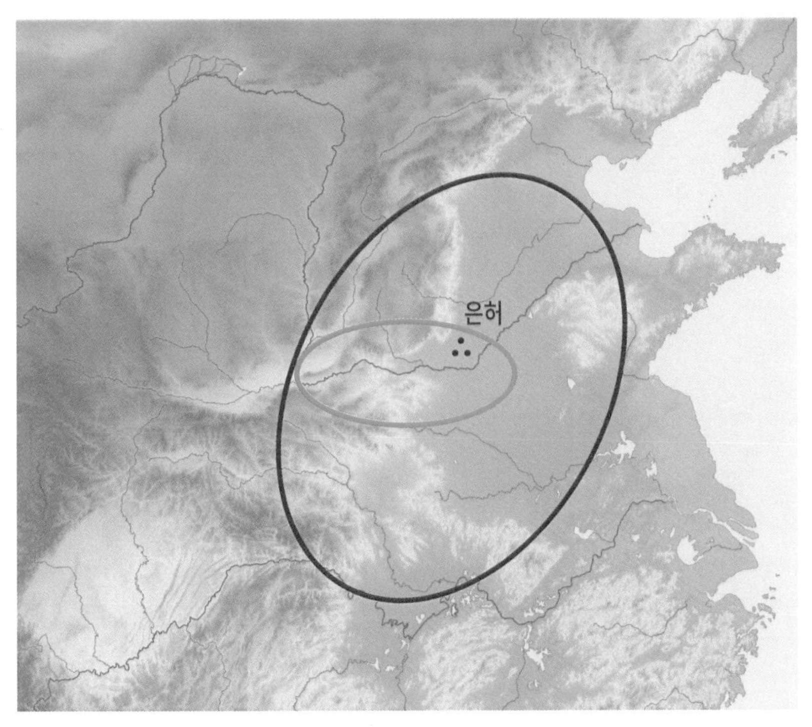

하나라(청색) 및 상나라(홍색)의 대체적 강역

갑골은 보통 귀갑(龜甲)이라고 하는 거북이 껍질이나 소나 사슴 등 짐승의 견갑골(肩胛骨)을 말합니다.

BC 11세기에 은나라 출신의 기자(箕子)라는 사람이 기자조선(箕子朝鮮)을 세웠다고 하는 기자동래설(箕子東來說)을 믿는 사람들도 있습니다.

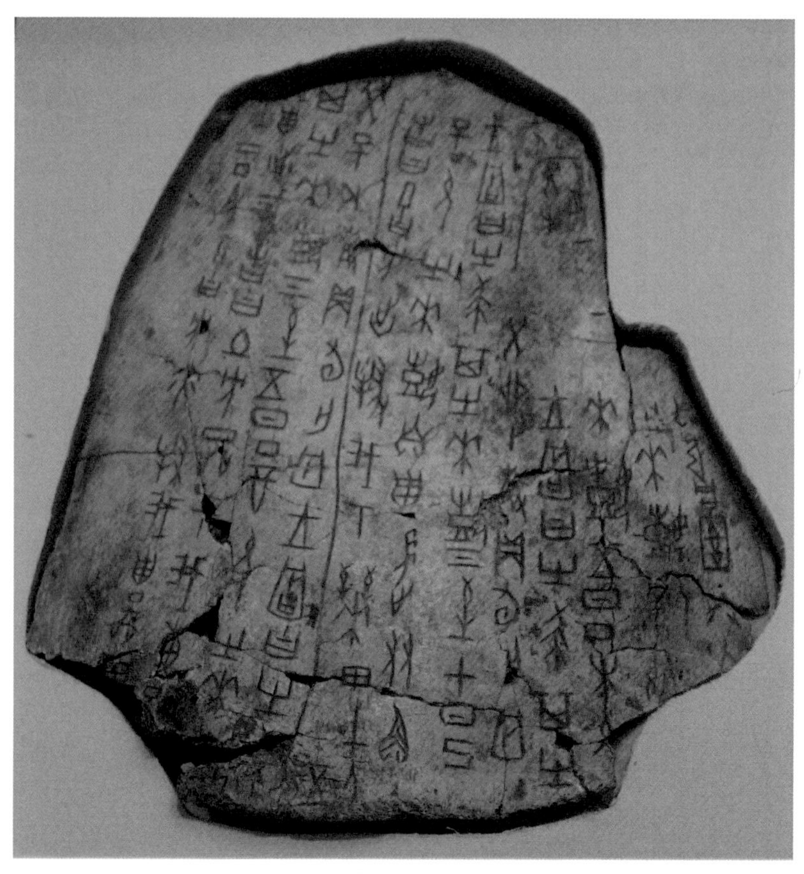

소의 견갑골(肩胛骨)에 새겨진 갑골문
BC 1200년 경

6. 철기 시대의 도래와 히타이트 제국

철기 시대의 도래

인류는 철을 철기 시대 이전에도 사용했습니다. 그러나 철기 시대에 들어와서야 본격적으로 철을 전쟁 무기나 농기구 등으로 사용하기 시작했습니다. 이는, 철광석으로 강하면서도 질긴 강철(鋼鐵)을 만드는 제강(製鋼) 기술이 철기 시대에 와서야 발전하기 때문입니다.

제강 기술을 제일 먼저 발전시킨 민족은 소아시아 반도 아나톨리아(Anatolia) 고원을 중심으로 거주했던 히타이트인(Hittite人)으로 추정됩니다. 히타이트인이 강철을 최초로 생산한 시기는 BC 1800년 경 혹은 그 이전입니다.

중국의 경우 전국시대(476~221 BC)에 강철이 사용되기 시작합니다.

히타이트 제국

히타이트인은 인도유럽어족에 속합니다. 이들의 조상은 BC 2300년 혹은 그 이전에 아나톨리아 고원으로 이주하였습니다.

히타이트인이 소아시아 반도에 왕국을 건설한 것은 BC 1600년 경의 일이었습니다. 이 나라가 제국으로 발돋움한 것은 수필룰리우마 1세(Suppiluliuma I., 재위 1350?~?1320 BC) 때의 일이었습니다.

수필룰리우마 1세는 시리아 북부를 자기의 영토 내지 세력권으로 만들었습니다. 시리아 북부 해안의 중요한 도시국가 우가리트(Ugarit)는 그에게 조공을 바치게 되었습니다.

히타이트 제국은 BC 1274년 경 제19왕조의 이집트 신왕국과 시리아의 카데시(Kadesh)에서 오리엔트의 패권을 놓고 건곤일척(乾坤一擲)의 전투를 벌입니다.

> 당시 히타이트의 왕은 무와탈리 2세(Muwatalli II, 재위 1295~72 BC)였고, 이집트의 파라오는 유명한 람세스 2세(Ramesses II., 재위 1279~13 BC)였습니다.
>
> 카데시 전투는 전투 기록이 전투를 치른 양측 모두에게 상세히 남아 있는 사상 최초의 전투입니다.

BC 1259년 히타이트와 이집트는 평화조약을 체결하여, 전쟁을 종결합니다. 이 평화조약은 사상 최초로 문서화된 평화조약이라는 의미를 지닙니다.

히타이트 제국 및 이집트 제19왕조의 영토

7. 해양 민족

BC 1200년 경 히타이트 제국과 우가리트가 멸망하였습니다. 이는, 발칸(Balkan) 반도에서 출발한 해양 민족(Sea Peoples)의 내습(來襲) 때문이었습니다.

해양 민족은 페니키아(Phoenicia)와 팔레스타인(Palestine), 또 이집트 해안 지방에도 막대한 피해를 입혔습니다. 그들 가운데 일부는 가자(Gaza)를 중심으로 한 팔레스타인 해안 지방에 정착하여, 블레셋(Philistine) 사람들이라 불렸습니다.

Palestine이라는 말은 Philistine이라는 말에서 유래했다 합니다.

해양 민족의 진출 경로

8. 페니키아 문명

페니키아(Phoenicia)는 우가리트보다 더 남쪽의 시리아 해안 지방과 오늘날의 레바논(Lebanon)을 합한 지역을 가리킵니다. 페니키아인은 셈족에 속합니다.

> 페니키아에는 여러 도시국가들이 있었는데, 그중 비블로스(Byblos), 시돈(Sidon), 티레(Tyre)가 중요합니다.
>
> 티레를 고대 헬라어로는 튀로스(Tyros)라 하며, '두로'라고 할 때가 있습니다.

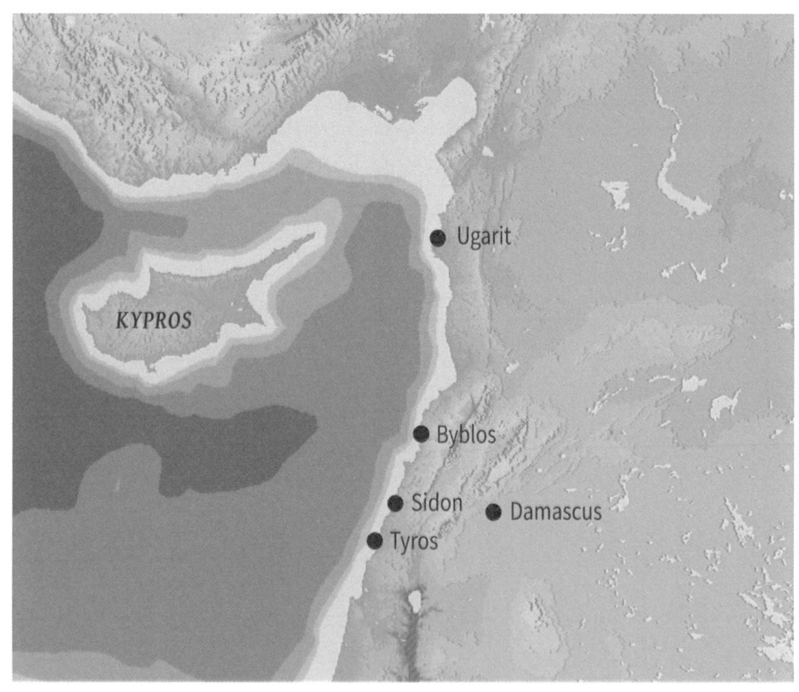

페니키아와 그 주변

페니키아 문명은 인류 최초의 해양문명일 것입니다. 페니키아의 주요 도시들은 모두 바다, 곧 지중해에 면한 항구도시들입니다. 이 도시들은 해상 무역을 통해 번영을 이루었습니다. 페니키아 문명은 BC 3000년경 시작되었을 것으로 추정됩니다.

페니키아의 가장 중요한 수출품은 삼목(杉木) 혹은 백향목(栢香木)이었습니다.

«길가메쉬 서사시»를 보면, 주인공 우룩(Uruk)의 왕 길기메쉬(BC 27세기 인물)가 삼목을 구하러 레바논의 삼목산(杉木山)을 다녀왔다는 기록이 있습니다.

이집트의 제1왕조(BC 3100?~?2686)는 비블로스를 통해 레바논의 삼목을 수입했습니다.

비블로스는 대신 이집트로부터 파피루스를 수입했습니다. 그리고 파피루스로 책을 만들었습니다.

비블로스는 이집트에서 수입한 파피루스를 오리엔트뿐 아니라 그리스에도 공급하였습니다.

헬라어로 책을 '비블리온'(biblion)이라 하게 된 것은 이런 연유 때문이라고 합니다.

헬라어 명사 biblion은 단수형입니다. 이것의 복수형은 biblia인데, 여기에서 biblia라는 라틴어 여성 명사가 유래하였고, 여기에서 다시 '성경'을 의미하는 영어 명사 Bible이 나왔습니다.

페니키아의 특산물은 자주색 및 심홍색 염료였습니다. 고대 오리엔트, 헬라 및 로마 사람들은 자주색 및 심홍색을 고귀한 색으로 여겼습니다.

페니키아 해변에는 자주색 및 심홍색 염료의 원료인 자주 조개 및 자주 소라가 많이 서식하였습니다.

헬라어로 자주색을 phoinix라 하였고, 심홍색을 phoinios라 했습니다.

고대 헬라 사람들은 페니키아를 자주색 및 심홍색 염료의 주산지라는 뜻으로 Phoinike라 불렀고, 여기에서 라틴어 지명 Phoenicia가 나와, 영어로도 Phoenicia가 된 것입니다.

페니키아는 해양문명이었기 때문에 해외 무역과 해외 식민지 개척에 열심이었습니다. 페니키아 사람들이 지중해 연안에 건설한 도시 중 가장 유명한 것은 카르타고(Carthago)였습니다.

페니키아의 여러 도시국가 중 해외 식민 활동을 일찍부터 열심히 수행한 곳은 시돈(Sidon)이었습니다.

시돈의 무역선들은 자브롤터(Gibraltar) 해협 너머의 대서양 연안까지 진출하였습니다.

시돈 사람들은 메소포타미아와 육상 무역도 행하였는데, 이때 시리아 중앙의 타드무르(Tadmur)라는 오아시스가 중간 거점 역할을 했습니다.

타드무르를 고대 헬라어로는 팔뮈라(Palmyra)라고 하였습니다. 팔뮈라는 종려나무를 의미합니다.

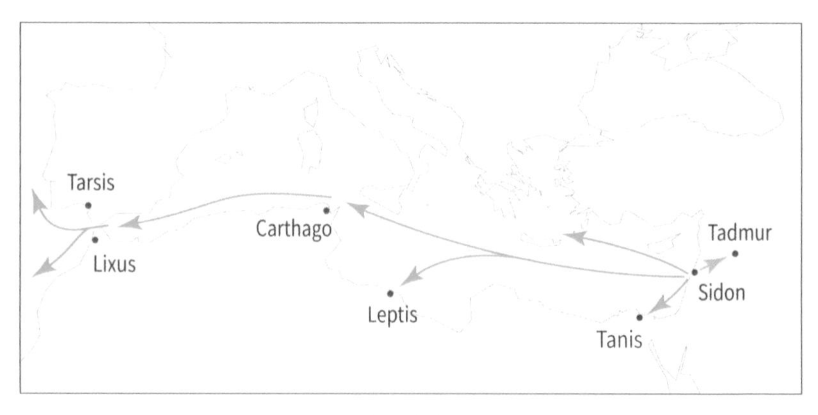

시돈의 해외 진출

페니키아 사람들은 표음문자를 사용하였습니다. 페니키아 문자는 BC 11세기에 발명되었을 것으로 보입니다.

페니키아 문자는, 모음이 없는 자음문자 혹은 아브자드(Abjad)입니다.

페니키아 문자는 헬라/그리스 문자 및 라틴 문자의 형성에 큰 영향을 미쳤을 것으로 생각됩니다.

세계 최초의 자음문자는 시나이 반도에서 BC 2000년 경부터 사용된 원시 시나이 문자입니다. 페니키아 문자는 원시 시나이 문자에서 파생되었습니다.

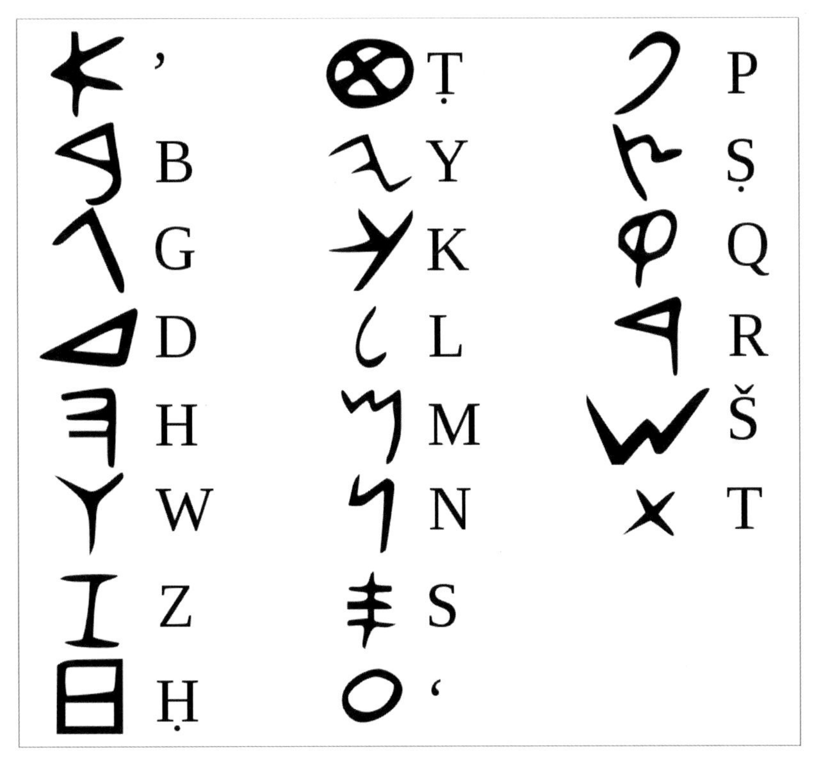

페니키아 알파벳

9. 고대 이스라엘 역사 개관

이스라엘은 작은 나라이지만, 매우 중요한 나라입니다. 이 나라는 본디 페니키아 사람들과 같은 계통의 가나안 사람들의 땅이었지만, 이집트에서 종살이하다 탈출한 히브리 사람들에 의해 정복되었습니다.

소위 '출애굽' 혹은 Exodus의 연대에 관하여는 의견이 나뉩니다. BC 15세기 중엽이라고 하는 사람들도 많지만, BC 13세기 중엽이라고 하는 사람들도 꽤 됩니다.

출애굽 당시 이스라엘 사람들의 지도자는 모세였습니다. 모세는 이스라엘 사람들에게 <율법>을 전해 주었습니다.

히브리 사람들이 역사에 기여한 일 가운데 가장 중요한 것은 유일신 신앙을 견지한 일일 것입니다.

히브리 사람들은 유일신을 믿는 아브라함 종교를 받아들인 최초의 민족이었습니다. 당연히 아브라함을 자기네의 조상으로 여깁니다.

히브리 사람들은 우상숭배를 거부하였습니다. 그래서 자기들이 믿는 신(神)의 상(像)을 만들지 않았습니다.

히브리주의(Hebraism)는 히브리 사람들의 문화와 정신을 가리키며, 헬레니즘과 더불어 유럽의 정신 세계에 지대한 영향을 미쳤습니다.

BC 11세기 후반 이스라엘 민족은 왕국을 이루었습니다. 최초의 왕은 사울(Saul)이었습니다. 이스라엘 왕국의 전성기는 다윗(재위 1010?~?970 BC)과 솔로몬(재위 970?~?930 BC)의 치세였습니다.

이스라엘은 BC 930년 경 북이스라엘과 남유다로 분열되었습니다. 그리고 북이스라엘은 BC 722년 경 아시리아 제국에 의해 멸망당했고, 남유다는 BC 586년 경 바빌론 제국에 의해 멸망당했습니다.

AD 1세기 이스라엘 및 그 주변의 주요 도시

유대인들의 바빌론 포로 생활은, BC 539년 바빌론 제국이 페르시아 제국에 의해 멸망할 때까지 계속되었습니다.

포로 생활을 마치고 귀환한 유대인들은 페르시아의 통치 하에서 그들의 유일신 신앙을 더 굳건히 하였습니다. 유대 땅은 BC 332년 알렉산더 대왕의 수중에 들어갔고, 그후 헬레니즘의 영향을 받았지만, 유대인들은 그들의 유일신 신앙을 지켰습니다.

유대인들은 BC 167년 유다 마카비(Judah Maccabee, + 160 BC) 지도 하에 헬라인의 지배에 저항하는 독립 전쟁을 일으켰고, 그 결과 BC 140년 경 하스몬 왕조의 초대 왕 시몬 마카비(+ 135 BC)를 중심으로 국가를 재건했습니다.

유대 나라는 BC 63년 로마인에게 독립을 빼앗겼습니다. 예수 그리스도는, 유대 나라가 로마의 속국이던 때, 곧, BC 5년 경 베들레헴에서 탄생하였습니다.

<예수 그리스도의 탄생> (12세기 말 작품)

기독교는 예수 그리스도를 믿는 자들의 종교로, 유대교와 마찬가지로 아브라함 종교에 속합니다. 기독교는 서양의 역사에 지대한 영향을 미쳤으며, 지금도 그 영향력이 지속되고 있습니다.

10. 아시리아 제국

아시리아 제국을 세운 앗수르인(Assur人)은 셈족 계통의 사람들로서, BC 2600년 경 메소포타미아 북부 티그리스 강변에 앗수르(Assur)라는 도시국가를 건설하였고, 이 도시를 중심으로 그 세력을 넓혀 갔습니다.

앗수르를 아시리아(Assyria)라 표기할 때가 많습니다. 그러나 Assyria는 앗수르라는 도시 내지 도시국가를 지칭한다기보다는 앗수르인이 세운 나라의 영역 전체를 가리킨다고 보는 것이 옳습니다.

바빌론의 경우도, 바빌론은 도시 내지 도시국가를 지칭하고, 바빌로니아(Babylonia)는 바빌론의 지배 하에 들어온 땅 전체를 가리킵니다.

Assyria라는 고유명사에서 Syria라는 고유명사 내지 나라 이름이 유래하였습니다.

아시리아의 고대 역사는 다음과 같이 구분됩니다.

초기 아시리아 시대 (BC 2600?~?2025)
고(古)아시리아 시대 (BC 2025?~?1364)
중(中)아시리아 시대 (BC 1363?~912)
신(新)아시리아 시대 (BC 911~?609)

아시리아 제국은 신아시리아 시대(BC 911~?609)에 이르러, 메소포타미아 전체뿐 아니라 소아시아 반도 동남부, 아르메니아 고원 남부, 페니키아, 북이스라엘, 나아가 이집트까지 정복함으로써, 역사상 최초로 비옥한 초승달 지대를 완전히 통일하는, 엄청난 일을 이루었습니다.

> 남유다는 아시리아 제국에 조공을 바친다는 조건으로 독립을 겨우 유지했습니다.

그러나 피지배 민족에 대해 사민정책(徙民政策) 등을 통해 지나치게 가혹한 통치를 하였던 관계로, BC 7세기 말 일어난 반란으로 급속히 무너졌습니다. 아시리아 제국의 멸망에 가장 큰 역할을 한 족속은 바빌론인과 기마민족인 스키타이족이었습니다.

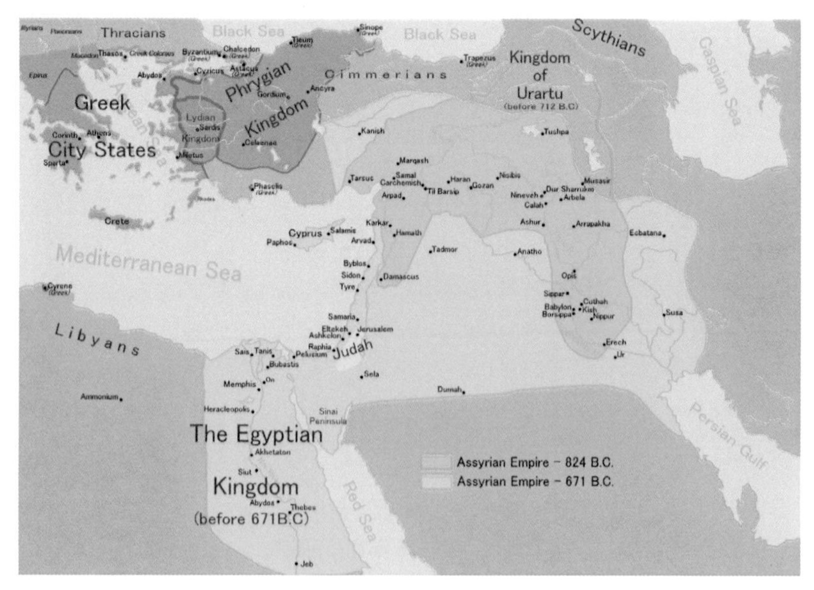

신아시리아 제국의 영토

말을 탄 스키타이족 병사들이 병거를 모는 아시리아 제국 병사들보다 더 훌륭한 전투력을 발휘한 것으로 보입니다.

11. 신바빌론 제국

바빌론 사람들은 함무라비 왕(재위 1810?~?1750 BC) 때 제국을 건설해 본 경험이 있는 족속입니다. 그런 그들이 언제까지나 앗수르 사람들의 가혹한 통치를 감내한다는 것은 기대하기 어려웠습니다.

BC 1000년기 초부터 약 400 여년 간 바빌론은 오만(Oman) 등 아라비아 반도 남부로부터 칼데아(Chaldea) 혹은 갈대아 사람들이라 불리는 새로운 이민자들을 받습니다. 이들은 셈족 계통에 속합니다.

칼데아 사람들은 바빌론의 역사에 새로운 활력을 불어넣은 것으로 생각됩니다.

과거 '수메르'라 불렸던 메소포타미아 동남부는 이제 '칼데아'라 불리게 됩니다.

바빌론에서 아시리아 제국의 폭정에 반기를 드는 데 앞장선 사람들은 칼데아 사람들이었습니다. 그들의 지도자 나보포폴라사르(Nabopolassar, 재위 626~605 BC)는 아시리아 제국의 장군이었으나, 아시리아 제국이 혼란에 빠지자, 이를 기화로 BC 626년 바빌론을 중심으로 나라를 세웠습니다. 나보포폴라사르가 아시리아 제국을 멸망시킨 것은 BC 609년 경의 일이었습니다.

신바빌론 제국의 전성기를 이끈 왕은 나보포폴라사르의 아들 네부카드네자르(Nebuchadnezzar, 재위 605~562 BC)였습니다. 그는 BC 586년 남유다를 멸망시키고, 수많은 유대인들을 포로로 잡아갔습니다.

네부카드네자르

<바빌론의 공중 정원>

19세기 무명 화가의 작품

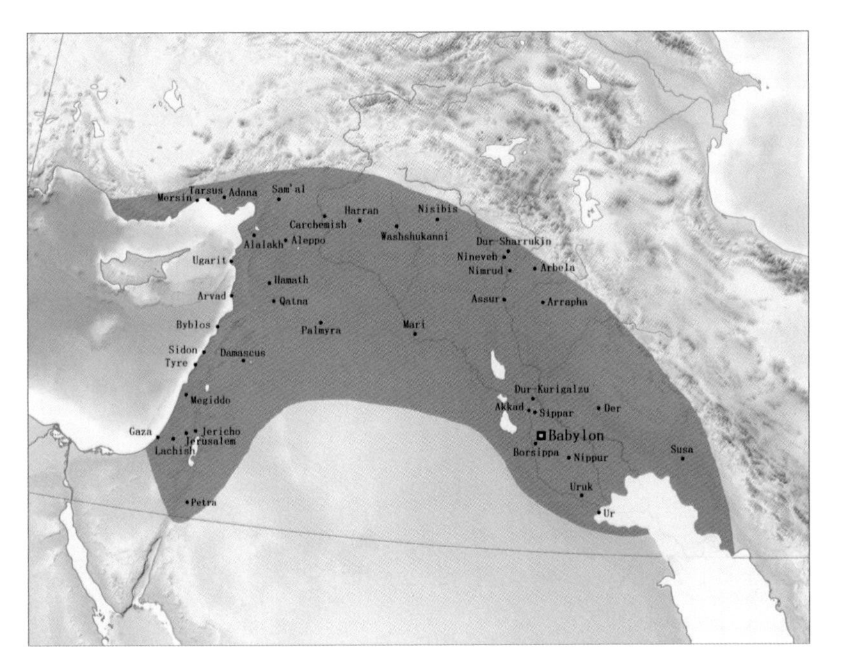

네부카드네자르 치세의 바빌론 제국 영토

네부카드네자르 혹은 느부갓네살은 바빌론 (혹은 바벨론) 포로 생활을 경험한 유대인들로서는 전혀 기억하기 싫어도 절대 기억할 수밖에 없는 인물이었습니다.

네부카드네자르는 메디아(Media) 출신의 자기의 왕비 아미티스(Amytis)를 위해 세계 7대 불가사의(不可思議) 중 하나인 바빌론의 공중 정원을 건설한 것으로도 유명합니다.

이 정원은 한 면의 길이가 약 120m 정도의 정사각형이었고, 높이 약 25 내지 30m의 테라스가 4개 있었다고 합니다. 단, 그 유적은 아직까지 발견되지 않고 있습니다.

12. 페르시아 제국

고대 이란의 주요 지역

현재 이란 국토의 대부분은 이란 고원이 차지하고 있습니다. 고래로 이란 고원에 거주한 사람들은 대부분 인도유럽어족에 속합니다. 고대 이란의 주요 지역은 다음과 같습니다.

엘람(Elam)
메디아(Media)
페르시스(Persis)
사가르티아(Sagartia)
파르티아(Parthia)

고대 이란의 주요 지역 및 주변 지역

엘람

메소포타미아 남부와 인접한 엘람은, 그 핵심 지역이 자그로스 산맥(Zagros Mountains) 서쪽의 평지 및 구릉지에 위치하며, 수메르 문명과 거의 비슷한 시기에 문명을 꽃피우기 시작했습니다. 하지만 엘람은 강대한 국가 건설에는 성공하지 못하였습니다. 그래도 엘람의 수도 수사(Susa) 혹은 수산(Susan)은 페르시아 제국 시대에 제국의 제일 수도 역할을 했습니다.

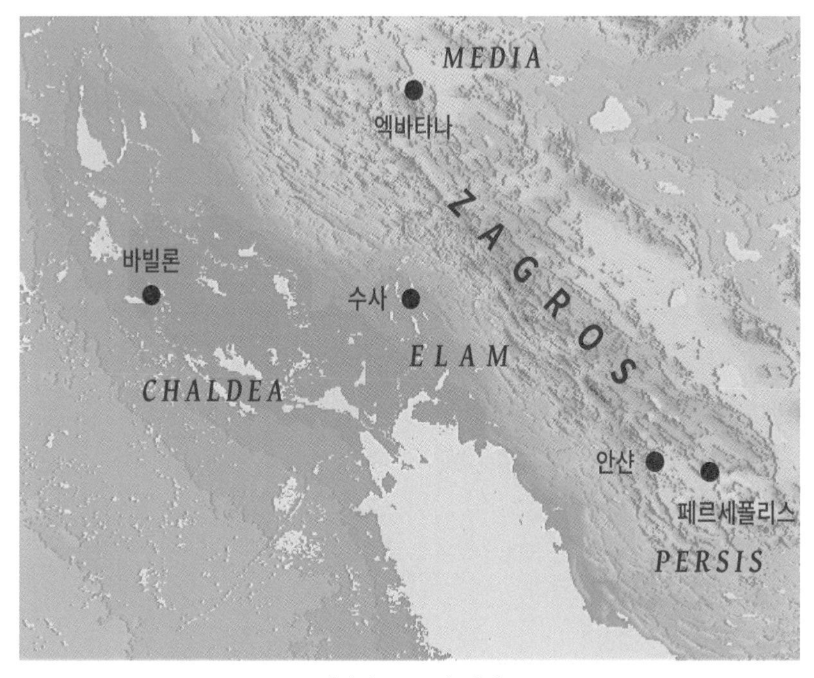

엘람과 그 주변 지역

메디아 왕국

메디아(Media) 혹은 메대 사람들은 이란 고원 서북부 산악 지대에 거주하였습니다. 그들은 아시리아 제국의 전성기였던 BC 7세기 초 엑바타나(Ecbatana)를 수도로 하는 소왕국을 건설했습니다.

그리스의 역사가 헤로도토스에 의하면, 메디아 왕국의 초대 왕은 데이오케스(Deiokes)였습니다.

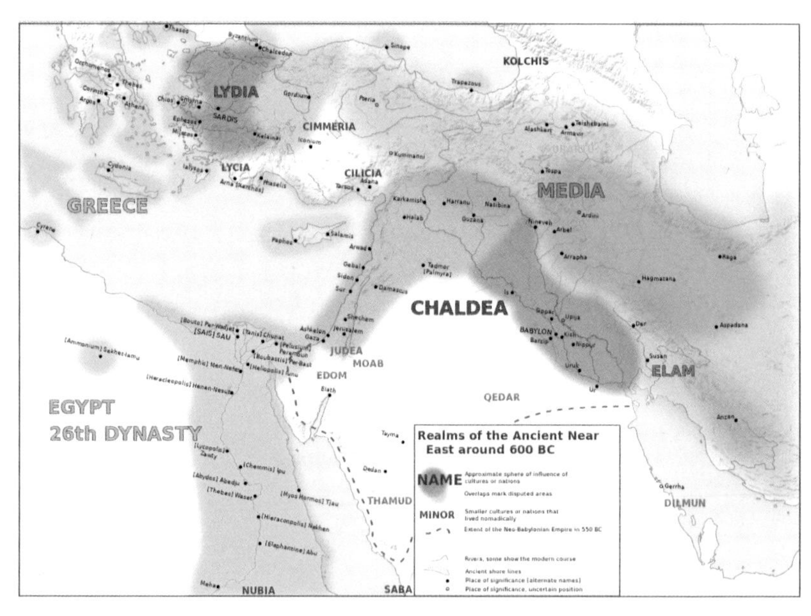

BC 600년 경의 오리엔트

제작: Enyavar
출처: Wikimedia Commons

이 왕국이 크게 발전한 것은 데이오케스의 손자 퀴악사레스(Kyaxares, 재위 625~585 BC)의 치세였습니다. 퀴악사레스는 신바빌론 제국의 초대 왕 나보포폴라사르와 동맹하여 아시리아 제국을 무너뜨립니다. 퀴악사레스는 스키티아 사람들을 이란 고원에서 축출하는 데 성공합니다. 그리고 이란 고원 대부분을 자기 지배 하에 넣습니다. 나아가 아르메니아와 소아시아 반도 동북부로까지 세력 범위를 넓힙니다.

퀴악사레스의 후계자는 그의 아들 아스튀아게스(Astyages, 재위 585~550 BC)였습니다. 아스튀아게스는 그의 사위이자 페르시아 왕국의 왕이었던 퀴로스(Kyros, 재위 559~530 BC)에게 왕좌를 빼앗깁니다.

퀴로스 대왕의 페르시아 제국 건설

페르시아인의 조상은 BC 1000년 전후 캅카스(Kavkaz) 혹은 코카서스(Caucasus) 방면에서 이란 고원으로 이주하였습니다. 그들은 늦어도 BC 7세기에 이란 남부 페르시스(Persis) 지방과 그 인근 지역에 정착하였습니다.

페르시스 지방의 중심 도시는 페르세폴리스(Persepolis)였습니다.
페르시스는 헬라어이며, 여기에서 라틴어 고유명사 Persia가 나왔습니다.

퀴로스의 소년 시절, 페르시아 왕국은 메디아 왕국의 신속국(臣屬國)이었습니다. 그러나 비범했던 퀴로스는 장성하여, 메디아 왕국의 왕 아스튀아게스를 BC 550년 축출하고 메디아 및 페르시아 연합왕국의 왕이 되었습니다. 그러나 그는 BC 539년 바빌론 제국을 무너뜨리고, 강대한 세계제국을 건설하였습니다.

퀴로스 대왕

퀴로스 대왕은 BC 539년 유대인들을 바빌론/바벨론 포로에서 해방시켜 준 것으로 유명합니다.

다레이오스 1세 치하의 페르시아 제국

페르시아 제국은 다레이오스 1세(Dareios I., 재위 522~486) 때에 최전성기를 맞이합니다.

페르시아 제국의 제2대 왕 캄뷔세스 2세(Kambyses II., 재위 530~522)는 BC 525년 이집트를 정복하였고, 이어서 퀴레네(Kyrene)의 자발적 항복까지 받아냅니다.

다레이오스 1세는 유럽으로까지 진출하여, 그리스 북쪽의 트라키아(Thracia)를 정복하였고, 마케도니아(Makedonia)를 신속국(臣屬國)으로 삼았습니다. 그는 그리스까지 복속시키려 하였으나, 성공하지 못하였습니다.

다레이오스는 그리스를 복속시키기 위해 BC 490년 아테네로 대군을 파견했으나, 유명한 마라톤 전투에서 패배하였습니다. 이에 대해서는 나중에 다시 말씀 드리겠습니다.

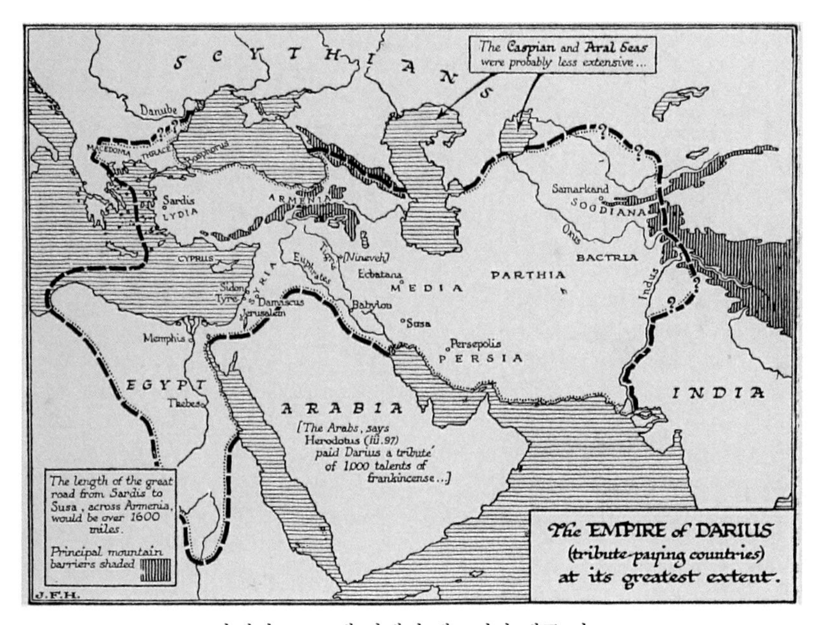

다레이오스 1세 치세의 페르시아 제국 영토

다레이오스 1세

조로아스터교

페르시아의 민족종교 조로아스터교(Zoroaster敎) 혹은 배화교(拜火敎)의 창시자 조로아스터(Zoroaster) 혹은 자라투스투라(Zarathustra)의 정확한 연대는 알 수 없습니다. 그러나 늦어도 BC 6세기 전반에 활약한 것은 확실합니다.

조로아스터교의 성화 아타르(Atar)

조로아스터교에서는 역사를 아후라 마즈다(Ahura Mazda)라는 선신(善神)과 아리만(Ahriman)이라는 악신(惡神)의 대립과 투쟁의 역사로 봅니다.

페르시아 제국의 멸망

페르시아 제국은 마케도니아의 알렉산더 대왕(재위 336~323 BC)의 원정의 결과, BC 330년 마지막 왕 다레이오스 3세(재위 336~330)의 죽음으로 종막을 고합니다.

13. 고대 그리스와 헬레니즘

미노스 문명

고대 그리스의 가장 오래된 문명은 크레타(Creta) 섬에서 BC 3100년경 발상(發祥)하였습니다.

미노스(Minos)는 크레타 섬 크노소스(Knossos)의 신화적 왕 이름입니다.

미노스가 만든 미궁에는 미노타우로스(Minostauros)라고 하는, 사람 머리에 소의 몸을 한 괴물이 있었다 합니다.

미노스 문명을 이룬 사람들은 우가리트를 통해 메소포타미아와, 뷔블로스를 통해 이집트와 교역하였습니다.

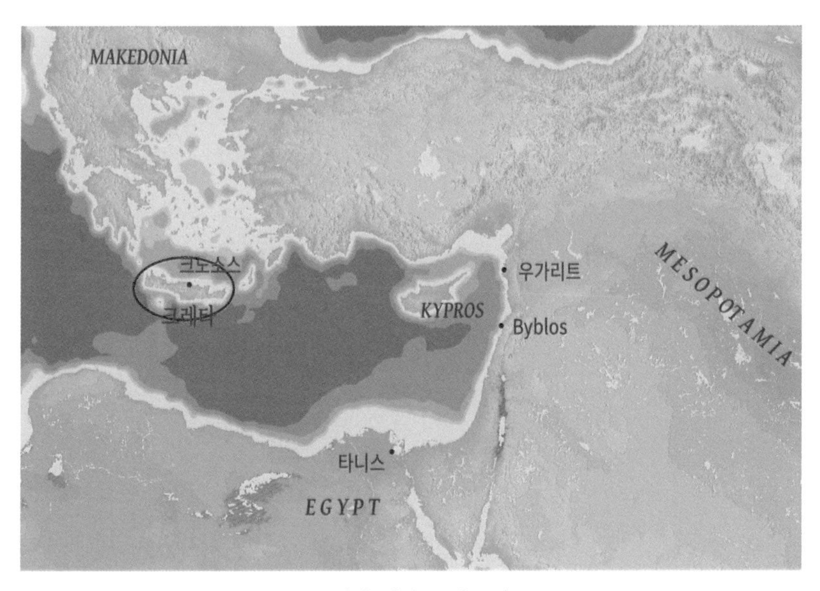

크레타 섬과 동지중해

앞 쪽의 지도를 보시면, 크레타 섬은 키프로스 섬을 거쳐 우가리트 및 뷔블로스와 – 원양 항해를 최대한 피하면서 – 연결될 수 있습니다.

미케네 문명

미케네 문명은 그리스 본토 펠로폰네소스(Peleponnesos) 반도에 위치한 미케네(Mykene)를 중심으로 BC 1750년 경부터 BC 1050년 경까지 존속했습니다. 이 문명을 일으킨 사람들의 조상은 BC 1850년 경부터 BC 1600년 경까지 발칸 반도 북부로부터 그리스로 이주해 왔습니다. 그들은 인도유럽어족에 속하는 헬라인이었습니다.

트로이 전쟁

호메로스의 두 대서사시 «일리아스»와 «오뒷세이아»의 배경이 되는 트로이(Troy) 전쟁은 전통적으로 BC 1194년에 시작되어, BC 1184년까지 10년 간에 걸쳐 행해진 것으로 여겨집니다. 이 전쟁에서 그리스 연합군의 총사령관은 미케네 왕 아가멤논(Agamemnon)이었고, 전쟁의 단초를 제공한 헬레네(Helene)는 원래 스파르타의 왕 메네라오스(Menelaos)의 왕비였습니다. 이 전쟁의 최고 영웅 아킬레우스(Achilleus)는 테살리아(Thessalia) 출신이었습니다. 당시 그리스 연합군이 동원한 함선의 총수는 약 1200척에 달했습니다. 이것만 보아도, 고대 그리스 문명이 페니키아 문명과 마찬가지로 해양 문명임을 알 수 있습니다.

미케네 문명 시대의 그리스

지정학적으로 볼 때, 트로이는 에게해에서 흑해로 들어가는 관문인 다르다넬스(Dardanelles) 해협의 입구에 위치합니다. 이곳이 적대 세력의 수중에 있는 것은, 서쪽으로 이오니아해(Ionia海)뿐 아니라, 동쪽으로 흑해 방면으로도 영향력 확대를 원했던 헬라인들한테 매우 부담스러운 일이었을 것입니다.

«오뒷세이아»의 주인공 오뒷세우스(Odysseus)는 트로이 목마를 고안했습니다. 그는, 트로이 전쟁이 끝난 후, 10년 동안 표랑(漂浪) 생활을 했습니다.

그리스의 암흑시대

고대 그리스에도 중세 서유럽처럼 암흑시대(Dark Ages)가 있었다고 생각됩니다. 이 시대는 BC 1050년 경 시작되어 BC 750년 경까지 약 300년 간 계속됩니다.

고대 그리스에 암흑시대가 도래한 것은, BC 1200년 경 시작되어 BC 1000년 경까지 계속된 도리스 혹은 도리아 민족 이동으로 미케네 문명이 파괴되었기 때문인 것 같습니다.

도리아족이 차지하거나 세운 도시 가운데 가장 중요한 것은 스파르타와 코린토스(= 고린도)입니다.

도리아족은 히타이트 제국과 우가리트를 멸망시킨 해양 민족의 한 갈래일 것으로 여겨집니다.

도리아족이 침입하자, 그리스 본토의 헬라인들 중 일부가 소아시아 반도 서부 해안 지방으로 이동하여, 그곳에 정착하였는데, 이들을 이오니아인(Ionia人)이라 합니다.

고대 그리스의 중요 방언은 이오니아인의 이오니아 방언, 도리아족의 도리아 방언, 아테네를 중심으로 한 아티카 지방의 아티카(Attica) 방언 등입니다.

그리스 문자의 발명

암흑시대 말인 BC 800년 경 세계 최초의 음소문자(音素文字)가 고대 헬라인에 의해 발명되었습니다. 잘 아시는 대로, 영어로 Alphabet라 하는 음소문자는 자음과 모음을 다 갖춘 문자를 말합니다.

헬라 문자 24자는 페니키아의 자음문자를 발전시킨 것입니다.

Α Β Γ Δ Ε Ζ Η Θ Ι Κ Λ Μ Ν Ξ Ο Π Ρ Σ Τ Υ Φ Χ Ψ Ω

고대 올림픽 경기

고대의 올림픽 경기는 공식적으로는 BC 776년에 시작되었습니다. 이 대회는 4년마다 펠로폰네소스 반도 서북부 올림피아(Olympia)에서 개최되었습니다. 경기의 승자에게는 월계관이 수여되었습니다.

이 대회는, 모든 헬라인은 하나라는 동질 의식을 심어 주는 데 큰 기여를 한 것으로 평가됩니다.

올림피아의 옛 모습

펠레폰네소스와 아티카

고졸기 헬라인의 식민 활동

고대 그리스 역사에서 고졸기(古拙期, Eng.: Archaic Period)라 하면, BC 750년 경부터 BC 480년 경까지를 말합니다. 이 시대에 그리스 사람들은 해외에 식민 활동을 적극적으로 펼칩니다. 그래서 지중해 연안 각지뿐 아니라 흑해 연안에도 수많은 식민시(植民市)를 건설합니다. 그리고 그리스 내 도시들 및 해외 식민시들 간의 상호 교류가 활발하게 전개됩니다. 그리스 사람들은 같은 언어와 같은 문자를 사용하였고, 같은 신(神)들을 숭배했습니다.

그들은 호메로스의 작품에 나오는 신화를 공유했습니다. 이로 말미암아 그들의 연대의식은 공고해졌습니다.

고대 그리스 사람들은 여러 폴리스로 나누어져, 정치적 통일을 이루지 못하였습니다. 그러나 그들은 같은 헬라인이라는 의식을 가졌습니다.

고대 그리스 사람들은 그리스 본토를 포함하여 에게해 연안 지방 및 그 부속 도서들을 헬라스(Hellas)라 불렀습니다.

이 이름은 그들의 신화적 조상 헬렌(Hellen)에서 유래하였습니다.

그리스라는 이름은, 로마 사람들이 붙여 준 Graecia에서 온 것입니다.

헬라인들은 – 본토에 살든, 해외에 살든 – 자기네를 문화인이라 생각했고, 자기네 문화에 동화되지 않은 이방인들을 야만인이라 생각했습니다.

헬라인들의 자부심은, 자기네는 사람답게 사는 것이 무엇인지에 대해 고민했고, 사람답게 살려고 노력했다는 의식에서 비롯됩니다. 헬라인들이 일찍부터 철학을 포함한 각종 학문을 발전시키기 위해 노력한 것은 이와 관련됩니다.

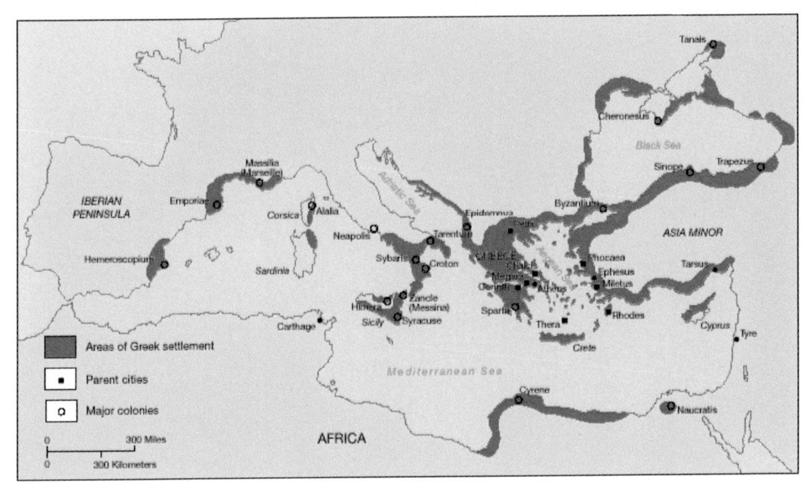

고대 헬라인의 식민지

마그나 그래키아

헬라인들이 해외에 건설한 식민지 중 가장 중요한 지역은 이탈리아 남부의 마그나 그래키아(Magna Graecia)였습니다.

마그나 그래키아를 헬라어로는 Megale Hellas(= Great Greece)라 하였습니다. 이 지역에는 AD 11세기까지 다수의 헬라인이 거주하였습니다.

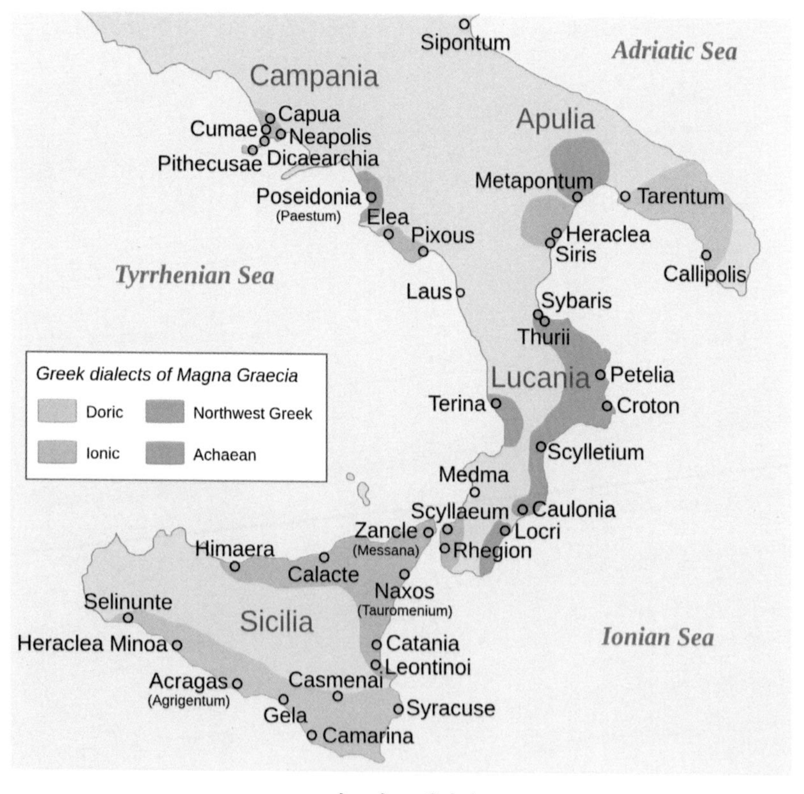

마그나 그래키아

이오니아

이오니아(Ionia) 지방은 소아시아 반도 서부 해안의 도시 스뮈르나(Smyrna)부터 할리카르낫소스(Halikanassos)까지를 가리킵니다. 사모스(Samos) 섬도 포함합니다. 바로 이 지방에서 위대한 서사시인 호메로스와, 탈레스(Thales, 624?~?546 BC)를 위시한 다수의 자연철학자들이 태어나거나 활약했습니다.

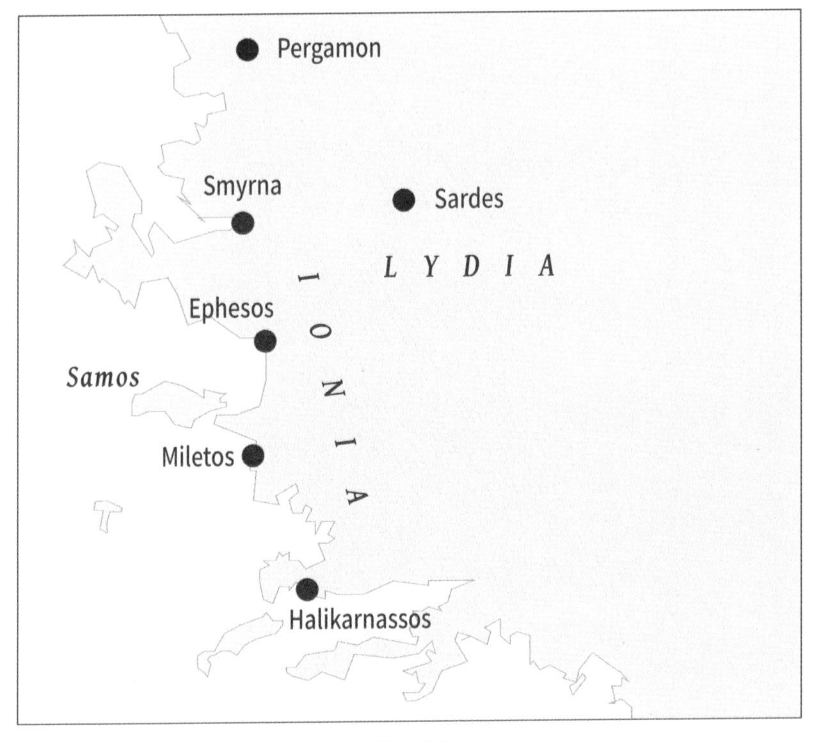

이오니아

아테네의 발전 및 성장

아테네가 중요한 것은, 첫째, 서유럽에서 가장 일찍 민주주의를 발전시켰고, 이를 기록으로 남겼기 때문입니다. 둘째, 소크라테스(469~399 BC), 플라톤(427~347 BC), 아리스토텔레스(384~322)와 같은 위대한 철학자들이 이 도시 출신이거나, 이 도시를 중심으로 활약했기 습니다.

- 아테네가 현재 그리스의 수도인 것은, 이 도시가 – 최소한 헬레니즘 시대 이전까지는 – 고대 그리스 문명의 가장 중요한 센터였기 때문입니다.

<아테네의 아크로폴리스>
독일 화가 Leo von Klenze(1784~1864)의 1846년 작품

아테네의 역사는 늦어도, 미케네 문명이 꽃피던 BC 1600년 경에 시작합니다. 당시 아테네의 영역은 아크로폴리스(Akropolis)라는 산성에 국한되었습니다.

고대 그리스의 다른 도시들 역시 보통 아크로폴리스로부터 시작되었습니다.

아테네도 처음에는 그리스의 다른 나라들처럼, 왕이 다스리는 나라였습니다. 아테네가 왕정(王政) 대신 귀족정(貴族政)을 채택한 것은 BC 682년 경의 일이었습니다. 그러다 BC 594년 솔론(Solon, 640?~?560 BC)이라는 현자(賢者)의 제안에 따라 민주정(民主政), 곧, 직접 민주정을 도입하는 실험을 합니다.

솔론은 민회(民會)에 국가의 고위 관리를 선출하는 권한과, 입법권, 사법권, 전쟁 선포권을 부여하는 제도를 고안했습니다.

그러나 이 실험은 그다 성공적이지 못했습니다. 이는, 민주주의의 정착에는 많은 시간과 노력이 필요하기 때문입니다. 그래서 아테네는 BC 560년부터 BC 510년까지 참주(僭主)들의 폭정에 시달렸습니다.

솔론

클레이스테네스

아테네에 민주정을 안착시킨 사람은 클레이스테네스(Kleisthenes, 570?~?507 BC)였습니다.

그러나 민주주의는 쉽게 성취되지 않았습니다. 이번에는 페르시아 제국이라는 거대한 제국이 손을 뻗혀 왔습니다. 오리엔트식 전제정치를 하는 이 제국이 아테네의 자유를 빼앗으려 했습니다.

당시 페르시아 왕은 다레이오스 1세(Dareios I., 재위 522~486). 그는 아테네를 정복하기 위해 12만 명 이상의 대군과 850척 이상의 함선을 동원했습니다. 이에 맞선 아테네의 병력은 약 11000명. 전투는 BC 490년 9월 10일 아테네 동북방 마라톤(Marathon) 평야에서 행해졌습니다.

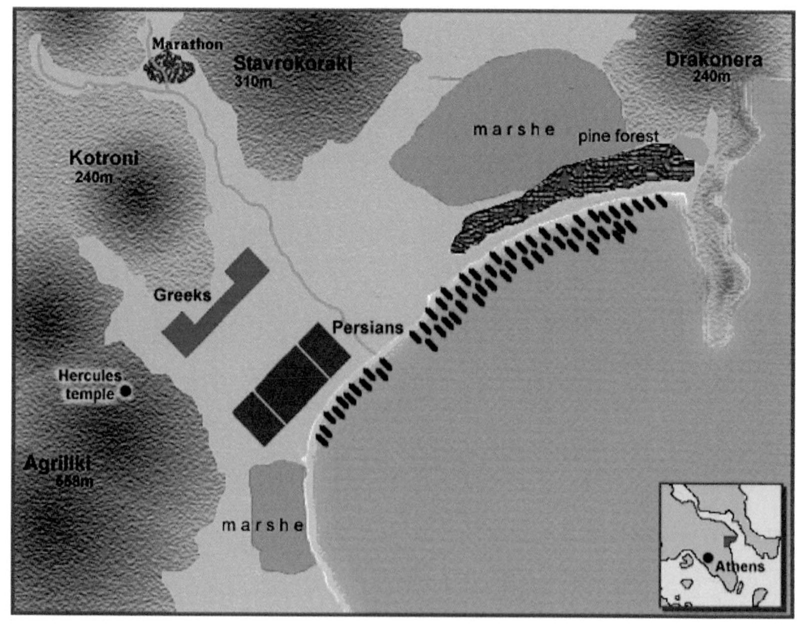

마라톤 전투의 포진 단계

페르시아 군이 이 전투에 실지 투입한 병력은 약 12000명 내지 15000명. 그러나 아테네 군의 양익포위(兩翼包圍) 작전에 말려들었습니다.

마라톤 전투에서 승리함으로써 아테네는 민주주의를 지킬 수 있었습니다. 그러나 10년 후인 BC 480년 페르시아는 또 다시 침략해 왔습니다. 새로운 페르시아 왕 크세르크세스(Xerxes, 재위 486~465 BC)는 대군을 친히 이끌고 왔습니다. 가장 결정적 전투는 BC 480년 9월의 살라미스(Salamis) 해전이었습니다.

이 해전에서 아테네와 그 동맹군이 동원한 병선은 약 350척이었고, 페르시아가 동원한 병선은 약 600척이었습니다. 이 전투에서 승리함으로써, 아테네는 그리스에서 가장 선도적 도시국가로 우뚝 섭니다.

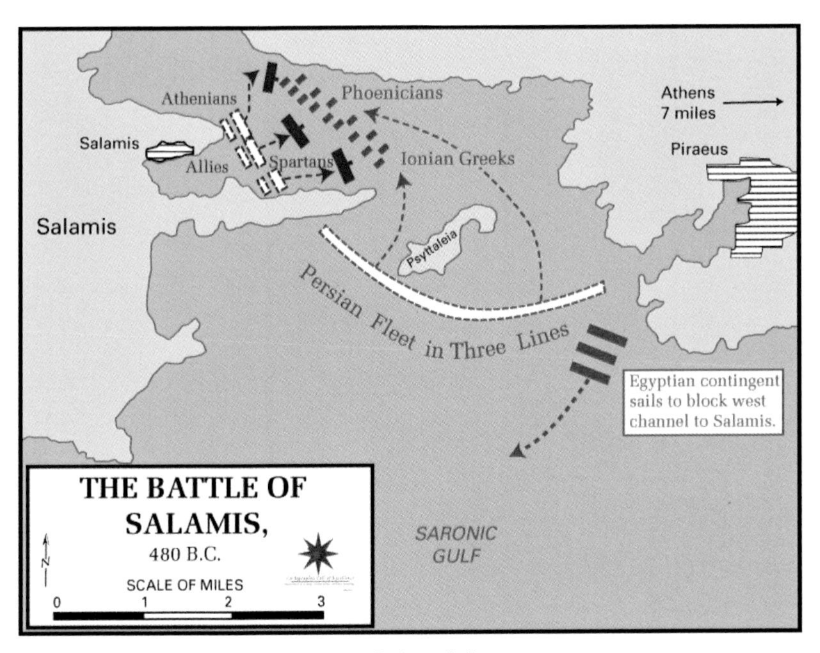

살라미스 해전

페리클레스의 시대

아테네의 최전성기를 이끈 사람은 페리클레스(Perikles, 495?~429 BC)였습니다. 그의 시대를 혹자는 페리클레스의 시대(Age of Pericles)라고 합니다. 그는 BC 443년부터 BC 429년까지 매년 아테네의 군대 장관으로 선출되었습니다.

페리클레스

펠로폰네소스 전쟁

그리스의 여러 폴리스 중 아테네의 가장 강력한 경쟁자는 스파르타였습니다. 아테네와 스파르타의 관계는 악화되었고, 이것은 결국 펠로폰네소스 전쟁(431~404 BC)으로 이어졌습니다. 전쟁은 페르시아 제국과 동맹한 스파르타의 승리로 끝났습니다.

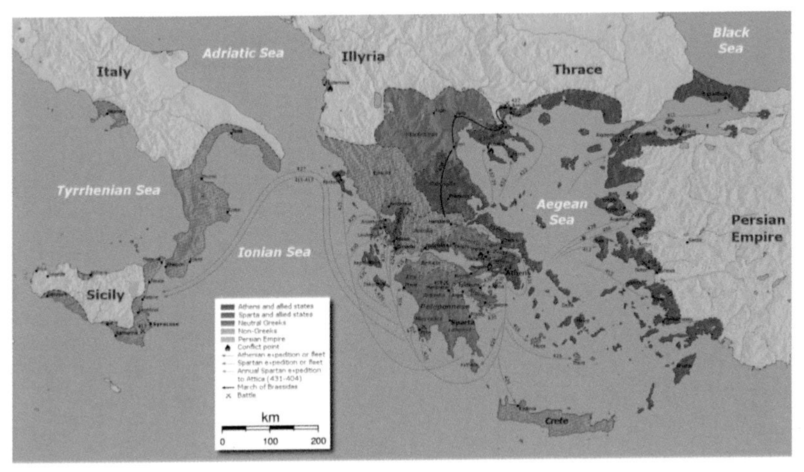

펠로폰네소스 전쟁

테바이의 헤게모니

펠로폰네소스 전쟁에서 승리한 스파르타는 한동안 패권을 유지했으나, BC 371년 레우크트라(Leuktra) 전투에서 테바이(Thebai) 군이 스파르타 군을 이김으로써, 테바이가 헤게모니를 쥐게 되었습니다.

레우크트라 전투에서 테바이 군을 이끈 사람은 에파메이논다스(Epameinondas, 418?~362 BC)였습니다.

에파메이논다스는 유명한 사선전법(斜線戰法)을 사용하였습니다.

그러나 테바이의 헤게모니는, BC 362년 에파메이논다스의 죽음으로 막을 내립니다.

이후 그리스는 여러 폴리스 사이에 분열을 거듭하다가, 결국 마케도니아에게 정복당하고 맙니다.

에파메이논다스

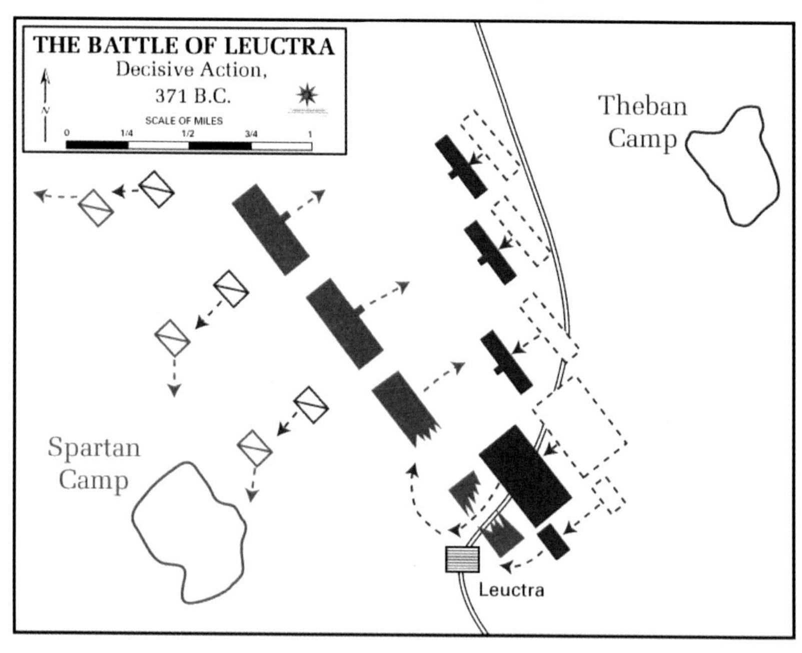

레우크트라 전투

마케도니아의 필립 2세

마케도니아(Makedonia)는 그리스 본토 북쪽에 위치하며, BC 7세기에 왕국을 이루었습니다. 그러나 이 왕국은, 봉건적 성격이 강하여, 왕권이 약했습니다.

BC 5세기 초 페르시아 제국이 발칸 반도로 세력을 넓히자, 마케도니아 왕국은 페르시아 제국의 신속국(臣屬國)이 되었습니다. 마케도니아 왕국이 페르시아 제국으로부터 독립한 것은 BC 5세기 말이었습니다.

그러다 필립 2세(Philip II., 재위 359~336 BC)가 등극한 후, 마케도니아 왕국의 국력이 크게 신장되었습니다. 즉, 그리스의 여러 도시로 하여금 자기의 패권을 인정하도록 만들 수 있었습니다.

필립 2세는 BC 337년 코린토스 동맹(League of Corinth)을 조직하고, 스파르타를 제외한 여러 도시국가들을 이 동맹에 가입시킬 수 있었습니다.

필립 2세

알렉산더 대왕

마케도니아 왕국은 필립 2세의 아들 알렉산더 대왕(재위 356~323 BC) 치세에 이르러 비약적으로 발전, 세계 제국을 건설하였습니다.

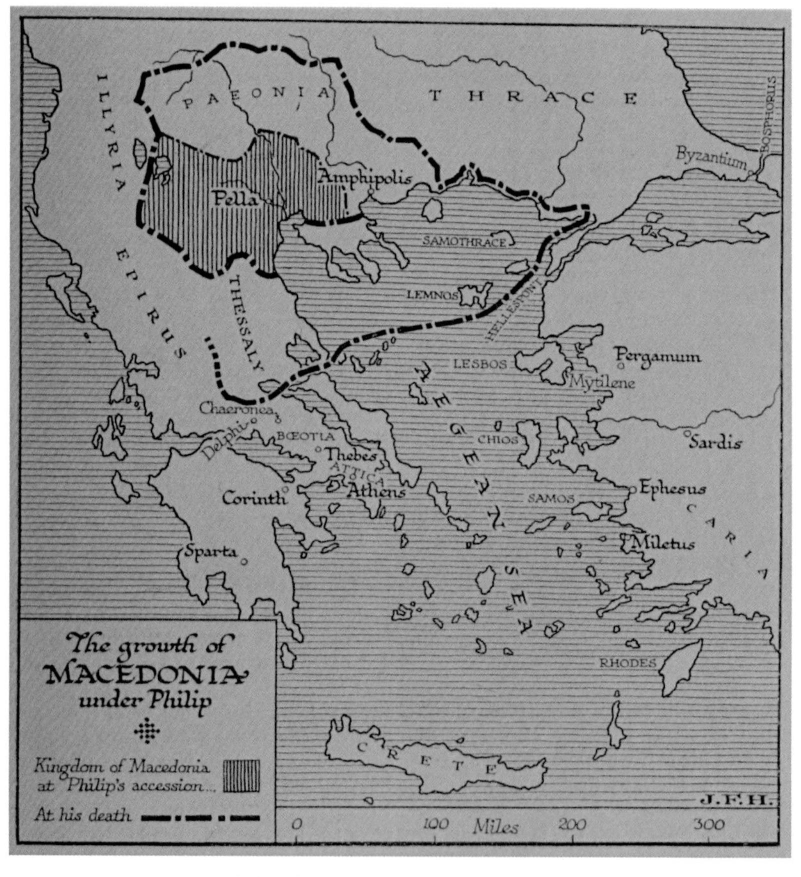

필립 2세 치세의 마케도니아 왕국 영토

알렉산더 대왕은 주전 331년 이집트를 점령하였고, 주전 330년에는 페르시아 제국을 멸망시켰으며, 주전 327년부터 주전 325년 사이에는 인도까지 원정하였습니다. 그의 제국은 유럽·아시아·아프리카의 3개 대륙에 걸친, 당시 세계 최대 제국이었습니다.

그는 바빌론을 자기제국의 수도로 삼고자 했습니다.

그는 마케도니아의 왕, 코린토스 동맹의 맹주, 페르시아의 왕이라는 세 직함을 동시에 지녔습니다. 그는 마케도니아 사람, 그리스 사람, 페르시아 사람이 동일한 권리를 지닌, 만민이 평등하면서도 통일된 나라를 만들고자 했습니다. 그러나 그는 만 33세의 젊은 나이로 세상을 떠났습니다.

알렉산더 대왕

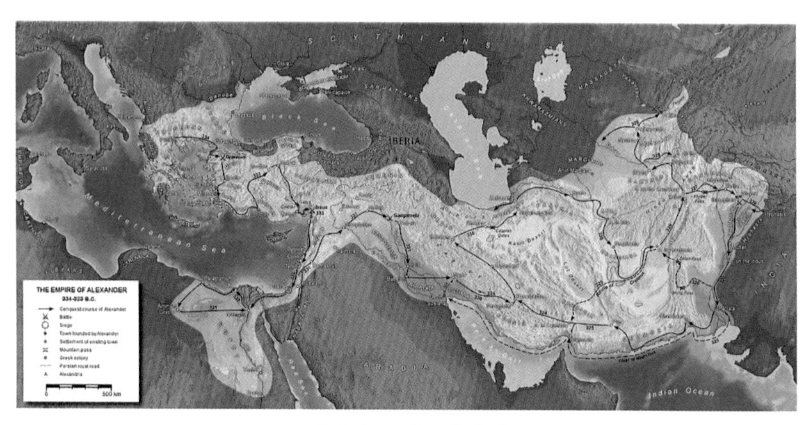

알렉산더 제국의 영역

출처: Wikimedia Commons

알렉산더 제국의 분열

알렉산더 제국은, 대왕의 사후(死後) 분열의 길로 들어섭니다. 그의 부하 장수들은 3차에 걸쳐 후계자 전쟁(Wars of the Diadochi)을 일으킵니다.

제1차 후계자 전쟁 (322~319)
제2차 후계자 전쟁 (319~316)
제3차 후계자 전쟁 (315~301)

이들 전쟁을 통해 세워진 4개의 왕국은 다음과 같습니다.

(1) 뤼시마코스 왕국: 트라키아, 소아시아 서부 및 북부
(2) 카산드로스 왕국: 마케도니아 (수도: 펠라)
(3) 프톨레마이오스 왕국: 이집트, 리비아 등 (수도: 알렉산드리아)
(4) 셀레우코스 왕국: 페르시아 등 (수도: 셀레우케이아)

헬레니즘 문화

알렉산더 대왕의 사후 마케도니아 사람들은 비록 정치적으로는 통일된 왕국을 건설하는 데 실패하였으나, 문화적으로는 세계 역사상 매우 중요한 업적을 남겼으니, 그것이 바로, 그들이 그리스 사람들과 힘을 합하여 이룩한 <헬레니즘 문화>였습니다. 헬레니즘 문화의 가장 중요한 특징은 그 보편주의적(普遍主義的) 성격에 있습니다.

헬레니즘의 보편주의를 우리는 사해동포주의(四海同胞主義)라 하며, 이를 영어로는 Cosmopolitanism이라 합니다.

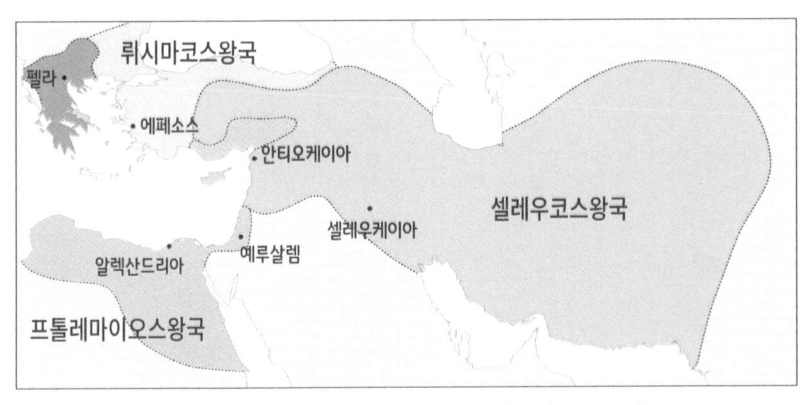

알렉산더 대왕의 후계자들이 세운 나라들 (BC 300년)

헬레니즘 문화의 가장 중요한 중심지는 프톨레마이오스 왕국의 수도였던 이집트 알렉산드리아(Alexandria)였습니다.

알렉산드리아는, BC 331년 알렉산더 대왕이 건설하였습니다.

유클리드 기하학의 창시자 에우클레이데스(Eukleides) 혹은 유클리드(Euclid)는 BC 3세기 초 이 도시에서 활약하였습니다.

<알렉산드리아의 Pharos 등대>
그림: 오스트리아 조각가 겸 건축가 Fischer von Erlach(1656~1723)

프톨레마이오스 왕국을 세운 프톨레마이오스 1세(재위 305~283)의 명에 의해 건설된 이 등대는 세계 7대 불가사의 중 하나입니다.

이 등대의 높이는 최소 100m, 최대 160m였을 것으로 추정됩니다.

여러 차례의 지진, 특히 14세기 초의 지진으로 인해 파괴되었습니다.

14. 로마 제국

로마의 건국 신화

로마 제국은, 로마라는 도시국가가 발전하여 이루어졌습니다. 신화에 의하면, 로마는 BC 753년 4월 21일 로물루스(Romulus)와 레무스(Remus) 형제에 의해 창건되었습니다.

이들 형제는 쌍둥이 형제였는데, 아버지였던 군신(軍神) 마르스(Mars)는 그들을 양육할 입장이 아니었고, 어머니였던 레아 실비아(Rhea Silvia)는 죽임을 당하였으며, 그들 자신은 티베르(Tiber) 강변에 유기(遺棄)되었습니다. 그들을 구출해 준 것은 늑대였습니다.

로마 카피톨리니 미술관 소장 늑대 조각상

로마의 건국 신화를 통해 우리가 알 수 있는 것은, 첫째, 로마인은 본디 전투민족이었다는 것이고, 둘째, 로마는, 사회의 주변인도 자기 능력에 따라 지도자의 반열에 오르는 것이 가능한 나라였다는 것입니다.

라티움

로물루스와 레무스의 조상은 트로이 전쟁으로 멸망한 트로이의 유민(流民) 애네아스(Aeneas)로 여겨집니다. 로마의 대서사시인 베르길리우스(Vergilius, 70~19 BC)의 «애네이스»(*Aenaeis*)에 의하면, 애네아스는 라티움(Latium)에 정착합니다.

라티움은 티베르 강 하류와 리리(Liri) 강 사이의 평원을 가리킵니다.

애네아스가 도착할 당시 라티움의 왕은 라티누스(Latinus)였습니다. 이 왕은 애네아스에게 자기 딸 라비니아(Lavinia)를 아내로 주었습니다. 이 왕의 이름에서 '라틴족'이니, '라틴어'니 하는 말이 나왔습니다.

그러니까, 고대 로마는 라티움 지방에 속했으며, 로마인은 라틴족이었고, 로마인은 라틴족의 방언인 라틴어를 사용하였습니다. 라틴어는 나중에 로마제국의 공용어가 되었습니다.

라틴 문자

로마인은 BC 700년 경부터 표음문자인 라틴 문자를 사용하였습니다. 라틴 문자는 모음과 자음을 다 갖추었을 뿐 아니라, 그 형태가 헬라 문자보다 더 단순하여, 사용하기에 매우 편리합니다.

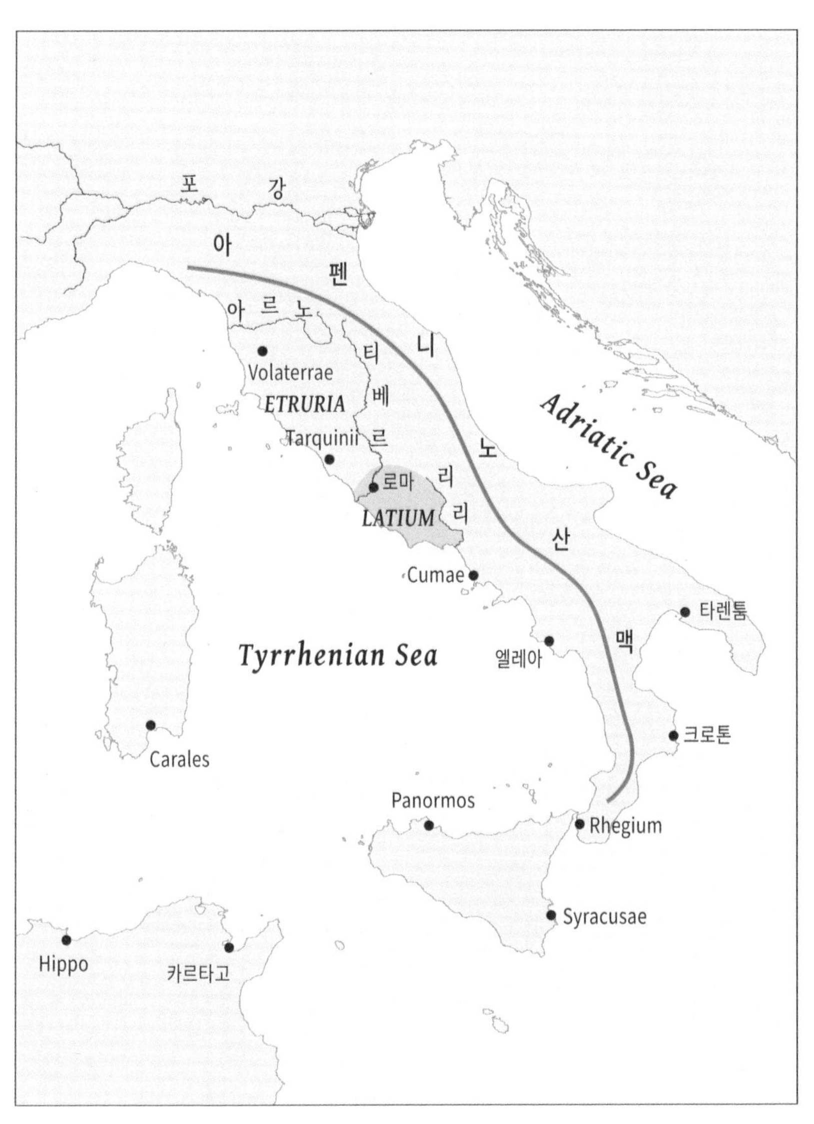
포 강
아펜니노 산맥
아르노
티베르
Volaterrae
ETRURIA
Tarquinii
로마
LATIUM
리리
Adriatic Sea
Cumae
타렌툼
Tyrrhenian Sea
엘레아
크로톤
Carales
Panormos
Rhegium
Syracusae
Hippo
카르타고

라티움 위치도

한글 내지 훈민정음이 라틴 문자보다 더 우수한 표음문자라 하여도, 창제된 연도가 1443년입니다. 로마인은 고대부터 표음문자로 신분에 관계 없이 자기 의사를 쉽게 기록, 표현할 수 있었습니다.

> 서유럽 여러 나라가 근대화를 빨리 이룰 수 있었던 것은 일찍부터 라틴 문자를 받아들였다는 사실과 무관하지 않습니다.

라틴 문자는 원래 21자였습니다. 그러다가, 헬라 사람들과의 교류가 활발해지자, BC 1세기에 Y와 Z가 추가되어, 23자가 되었습니다.

A B C D E F G H I K L M N O P Q R S T V X Y Z

J, U, W – 이 세 글자는 중세 및 근대 초에 추가된 것입니다.

왕정에서 공화정으로

도시국가로서의 로마는 처음에 일종의 왕국이었습니다. 그러나 로마의 왕은 전제정치를 하기가 어려웠습니다. 이는, 민회와 원로원이 왕을 견제할 수가 있었기 때문입니다.

1) 왕의 자리는 세습되기보다는 민회에 의해 선출되었습니다. 즉, 왕으로 선출되는 데는 혈통보다는 백성의 신망이 더 중요했습니다.

2) 민회는 왕의 칙령을 추인하는 권한을 지녔습니다.

3) 원로원은 의결 기관이 아니고 자문 기관이었지만, 민회에 막강한 영향력을 행사하였으므로, 왕이 원로원의 의견을 무시하기가 어려웠습니다.

4) 원로원은 새로운 왕을 선출할 때, 그 과정을 관장하는 interrex라고 하는 임시왕을 내는 권한을 보유했습니다. 자연히 새로운 왕의 선출에 상당한 영향력을 행사할 수 있었습니다.

오만왕 타르크비니우스의 상상도

로마의 왕정은 BC 509년 종막을 고합니다. 로마의 마지막 왕은 타르크비니우스(Tarquinius)였습니다. 그는 '오만왕'(Superbus)이라는 별명을 지녔습니다.

타르크비니우스는 대규모 건설 사업과 대외 정복 사업을 벌였으나, 국가 재정에 큰 부담을 주어, 결국 백성들의 원성을 샀습니다.

그는 또 루크레티아(Lucretia)라는 귀족 가문 유부녀를 겁탈했습니다.

타르크비니우스가 왕위에서 축출된 후, 로마는 공화국이 되었습니다. 로마공화국에서는 왕 대신 두 명의 집정관으로 하여금 국정을 운영하게 하였습니다. 집정관의 임기는 1년이었습니다. 이렇게 한 것은, 장기 집권 및 권력 독점에서 오는 폐해를 막기 위해서였습니다.

그러나 이 제도의 문제점은, 국가 비상시(非常時)에 국론이 분열할 우려가 있는 것이었습니다. 이러한 우려 때문에 로마 사람들은 독재관

(獨裁官) 제도를 만들었습니다. 독재관으로는 전직 혹은 현직 집정관 중에서 한 명이 임명되었습니다. 독재관의 임기는 6개월 이내로 제한되었습니다.

독재관 임명권은 두 현직 집정관 중 한명에게 원로원에 의해 부여되었습니다. 독재관이나, 집정관이나 다, 군 통수권이 있었습니다. 그러나 독재관이 최고 통수권을 보유했습니다.

여하간, 로마공화국에서는 평상시 집정관이 국정을 운영했습니다. 원로원은 원칙적으로 자문 기관이었습니다. 그러나 원로원 의원 중에는 전직 집정관이 많았으므로, 현직 집정관이 원로원의 의견을 무시하기 어려웠습니다.

마치 현대 민주국가에서 입법부와 행정부가 상호 견제하듯, 로마공화국에서는 원로원과 집정관이 상호 견제했습니다.

집정관 이외의 고급 관원으로는 법무관과 감찰관이 있었습니다. 이들은 병원회(兵員會)라고도 하는 켄투리아 민회(Centuria 民會)에서 선출하였습니다.

법무관에게는 입법권에 준하는 법률심사권이 있었습니다.

법무관에게는 판결권은 없었으나, 판사를 임명하는 권한이 있었으므로, 재판에 영향을 미칠 수 있었습니다.

감찰관이 수행한 가장 중요한 업무는 인구 조사였습니다.

감찰관은 또 공중 도덕 감찰과 국가 재정 감독도 당당했습니다.

로마공화국에서는 국민개병제(國民皆兵制)가 실시되었습니다. 즉, 자유민(自由民)에 속하는, 건강한 성인 남자는 모두 병역 의무를 감당했습니다. 그 대가로 자유민인 성인 남자들에게는 자기들의 최고 지도자를 선택할 수 있는 권리가 주어졌습니다.

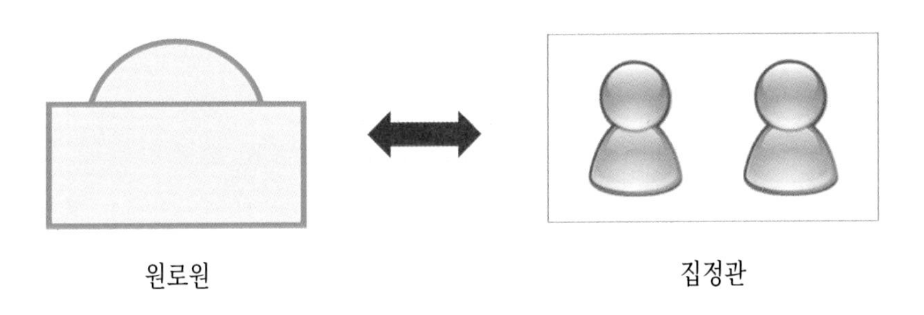

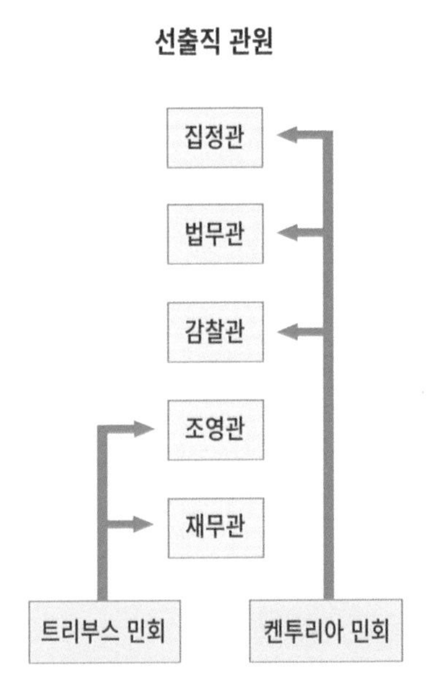

하급 관원인 조영관과 재무관은 트리부스 민회(Tribus 民會)에서 선출하였습니다.

조영관의 주된 업무는 건설과 관련된 업무였습니다. 조영관은 신전 관리도 맡았습니다.

재무관의 주된 임무는 국가 재정이나, 전선에 배치된 군대의 재정을 관리하는 것이었습니다. 또 집정관을 보좌하는 일도 하였습니다.

라틴어 명사 tribus는 원래 '부족'을 의미합니다. 하지만 '구역'을 뜻할 때도 있습니다.

로마에는 당초 21개의 구역이 있었습니다. 그러나 BC 241년까지 35개 구역으로 늘어났습니다. 각 구역에서는 1명의 트리부스 민회 총대를 뽑았습니다. 이 총대들이 조영관과 재무관을 선출한 것입니다.

호민관 제도의 도입

로마공화국은 평민의 권익 보호를 위해 BC 494년에 호민관(護民官) 제도를 도입하였습니다. 호민관의 임기는 1년이었고, 호민관의 정원은 처음에 2명이었다가, BC 471년에 4명이 되었고, BC 457년 경부터는 10명으로 늘었습니다. 호민관에게는 원로원 결의를 거부할 권한이 있었습니다.

이탈리아 반도의 통일

우여곡절은 있었으나, 로마공화국은 BC 264년까지 이탈리아 반도 거의 대부분을 정복할 수 있었습니다.

이탈리아 반도에 대한 지배권을 확립하기 위해 이탈리아 반도 여러 곳에 식민시를 건설했습니다.

또 몇몇 도시의 주민들에게 로마 시민권을 부여하였습니다.

그리고 여러 도시와 동맹을 맺고, 대신 로마의 패권을 인정하게 했습니다.

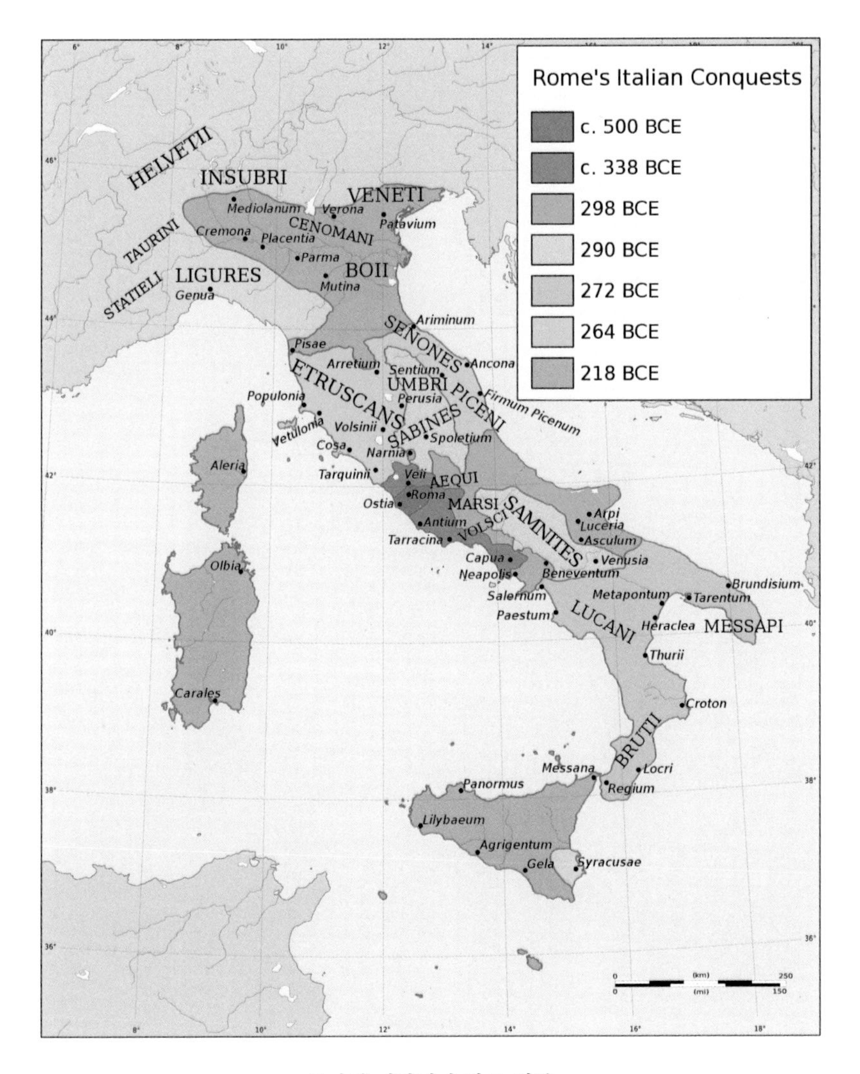

로마의 이탈리아 반도 정복

제작: Javierfv1212

출처: Wikimedia Commons

포에니 전쟁

라틴어로 포에니는 본디 '페니키아 사람들'이라는 뜻입니다. 그러나 요즘에는 지중해 서부 연안, 특히 카르타고(Carthago)에 거주하던 페니키아 계통 사람들을 말합니다.

포에니 전쟁은, 지중해 서부에서의 패권을 놓고 로마와 카르타고 사이에 행해졌습니다. 이 전쟁은 3차에 걸쳐 진행됩니다.

제1차 포에니 전쟁 (264~241 BC)
제2차 포에니 전쟁 (218~201 BC)
제3차 포에니 전쟁 (149~146 BC)

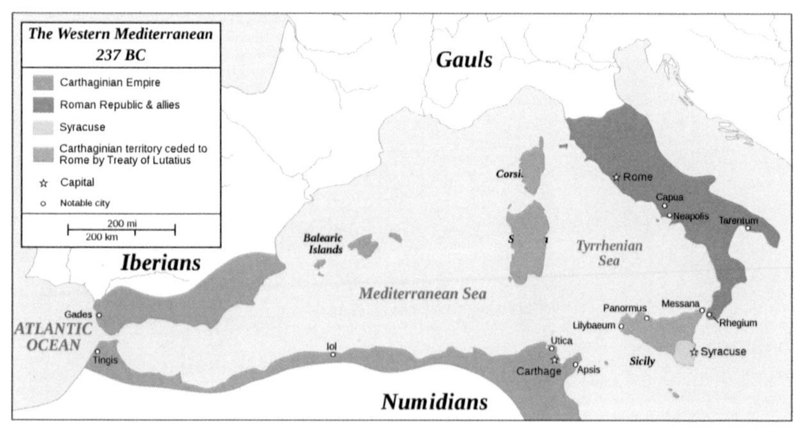

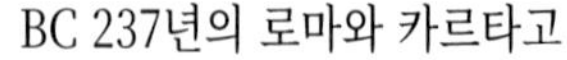
BC 237년의 로마와 카르타고

카르타고의 유명한 장군 한니발(Hannibal, 247?~?183 BC)은 제2차 포에니 전쟁 때 활약했습니다.

코끼리를 타고 론 강을 건너는 카르타고 군

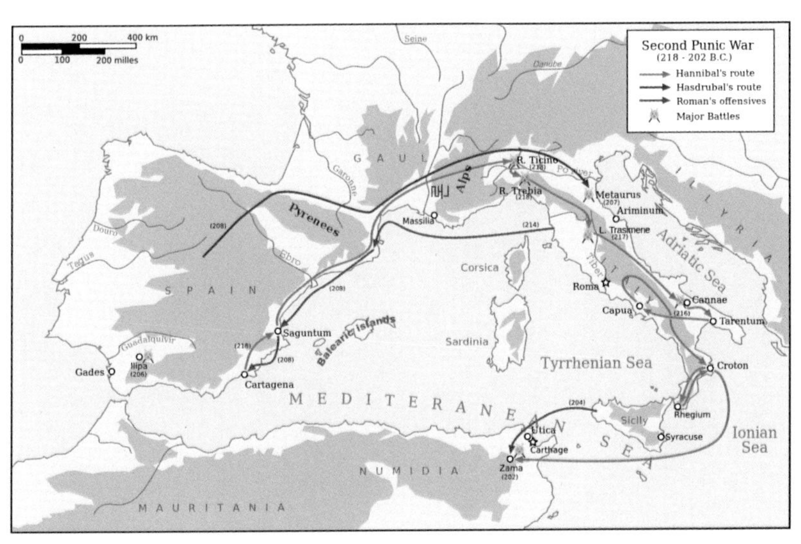

제2차 포에니 전쟁

3차에 걸친 포에니 전쟁은 로마의 완벽한 승리로 BC 146년 막을 내립니다. 카르타고는 지도 상에서 일단 사라졌지만, BC 46년 율리우스 캐사르(Iulius Caesar, 100~44 BC)에 의해 재건이 시작되었고, 아우구스투스 황제(재위 28 BC ~ 14 AD) 치세 말년에 로마령 북아프리카의 수도가 되었습니다.

그라쿠스 형제의 개혁 운동

로마공화국의 급속한 국력 신장(伸張)은 빈부 격차를 심화시키고, 사회적 갈등을 증폭시켰습니다.

그라쿠스 형제

이러한 문제를 해결하기 위하여, 티베리우스 그락쿠스(Tiberius Gracchus, 163~133 BC) 및 가이우스 그락쿠스(Gaius Gracchus, 153~121 BC) 형제는 각각 BC 133년과 BC 123년에 부자들의 공유지 소유를 최대 250정보로 제한하려는 계획을 추진하였으나, 반대파에 의해 둘 다 살해되었습니다.

개혁의 실패로 로마공화국은 내란의 길로 들어서게 됩니다. 그락쿠스 형제의 개혁을 찬성한 사람들은 평민당이 되었고, 반대한 사람들은 귀족당이 되었습니다.

제1차 삼두정치 (60~53 BC)

이것은, 폼페이우스(Pompeius, 106~48 BC), 크랏수스(Crassus, 115~53 BC), 캐사르(Caesar, 100~44 BC)가 원로원 세력에 대항하기 위해 BC 60년에 맺은 사적(私的) 동맹입니다.

제1차 삼두정치의 세 인물
(왼쪽부터 폼페이우스, 크랏수스, 캐사르)

폼페이우스와 크랏수스는 귀족당이었고, 캐사르는 평민당이었습니다. 그러나 그들은 자기네의 정치적 야망을 위해 일시 뭉쳤습니다.

율리우스 캐사르

율리우스 캐사르(Iulius Caesar)는 «갈리아 전기»를 통해서도 알 수 있듯이, 지금의 프랑스와 얼추 비슷한 갈리아(Gallia)를 BC 58년부터 BC 51년까지 정복하였습니다. 그리고 BC 49년 1월 "주사위는 던져졌다"고 하면서, 루비콘(Rubicon) 강을 건넜습니다.

캐사르는 BC 46년 내란을 평정하고 10년 임기의 독재관이 되었고, BC 44년 2월에는 종신 독재관이 되었으나 공화파의 반감을 사, BC 44년 3월 15일 공화파에 의해 살해당했습니다.

<캐사르의 죽음>
이탈리아 화가 Vincenzo Camuccini(1771~1844)의 작품

제2차 삼두정치 (43~36 BC)

이것은, 안토니우스(Antonius, 83~30 BC), 레피두스(Lepidus, 89~13 BC), 옥타비아누스(Octavianus, 63 BC ~ 14 AD)가 캐사르 살해자들에 대항하여 맺은 정치적 동맹으로, 제1차 삼두정치와는 달리, 병원회(兵員會)에 의해 공적(公的)인 인정을 받았습니다.

로마제국의 성립

안토니우스는 BC 32년 옥타비아누스와 관계를 끊고, 유명한 이집트 여왕 클레오파트라(Cleopatra, 재위 51~30 BC)와 결합합니다.

독일 화가 Johann Heinrich Tischbein(1722~89)의 작품

<안토니우스와 클레오파트라>

그러나 BC 31년 악티움(Actium) 해전에서 승리한 옥타비아누스는 BC 27년 로마 황제로 등극했습니다. 그리고 '존엄자'라는 뜻을 지닌 아우구스투스(Augustus)로 불리게 되었습니다. 이제 로마공화국은 로마제국으로 바뀌었습니다.

<아우구스투스 흉상>
독일 뮌헨 박물관 소장

로마의 평화와 5현제

아우구스투스 황제의 등극 후 로마제국에는 AD 180년까지 라틴어로 Pax Romana(= '로마의 평화')라 불리는 – 약 200년 간에 걸친 – 긴 평화의 시대가 찾아옵니다. 이 시대에 '5현제'라 불리는 다섯 명의 훌륭한 황제가 있었는데, 그들의 이름은 다음과 같습니다.

네르바 (96~98) 트라얀 (98~117) 하드리안(117~138)
안토니우스 피우스 (138~161) 마르쿠스 아우렐리우스 (161~180)

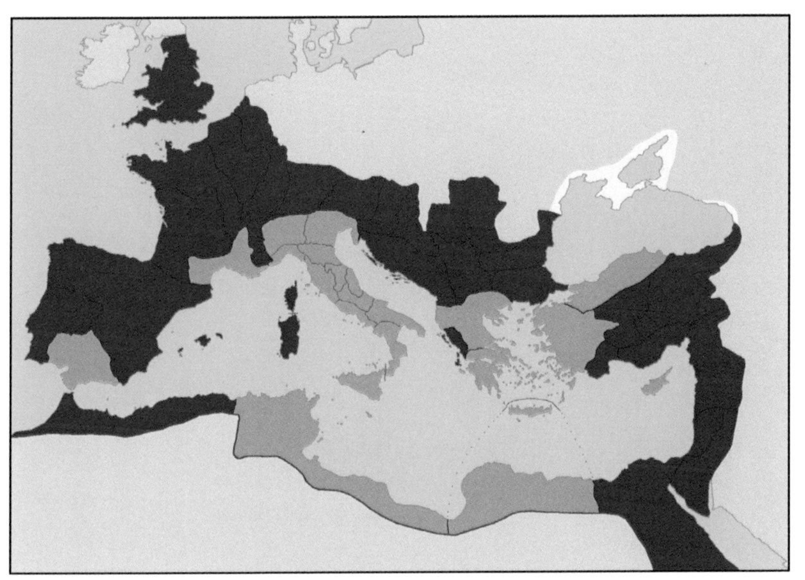

AD 120년의 로마제국 영토
(적색: 황제 관할 속주, 분홍색: 원로원 관할 속주)

군인황제 시대

AD 180년 이후 로마제국은 쇠망의 길을 걷습니다. 이 과정에서 AD 235년부터 AD 305년까지 군인황제 시대를 겪습니다.

물론, 정복국가였던 로마제국에서 군대는 항상 중요했습니다. 그렇지만, 로마제국은 법치국가였고, 원로원이 상당한 힘을 가진 국가였습니다. 그런데 군인황제 시대가 온 다음, 쿠데타가 빈번하게 발생했습니다. 법치주의가 흔들렸고, 원로원의 힘이 계속 약화되었습니다. 로마제국 역시 동양적인 전제주의 국가로 변모해 갔습니다. 국가 경제도 점차 피폐해졌습니다.

콘스탄틴 대제

군인황제 시대가 끝난 후, 로마제국에는 콘스탄틴 대제(재위 306~337)라는 영웅이 등장했습니다.

<콘스탄틴 대제 청동상>
로마의 Capitolini 미술관 소장

대제는 AD 313년 <밀라노 칙령>을 반포, 그때까지 박해받던 종교이던 기독교를 공인했습니다. 이로써 기독교는 로마제국의 사실상의(de facto) 국가종교가 되었습니다. 대제는 AD 330년 콘스탄티노플을 새로운 수도로 삼았습니다.

테오도시우스 대제

테오도시우스 대제(재위 379~395)는 AD 391년에 기독교를 법적인 의미의(de iure) 국가종교로 만들었습니다.

테오도시우스 기독교 이외의 종교를 금지하였습니다. 단, 유대교에 대해서는 종교의 자유를 허용하였습니다.

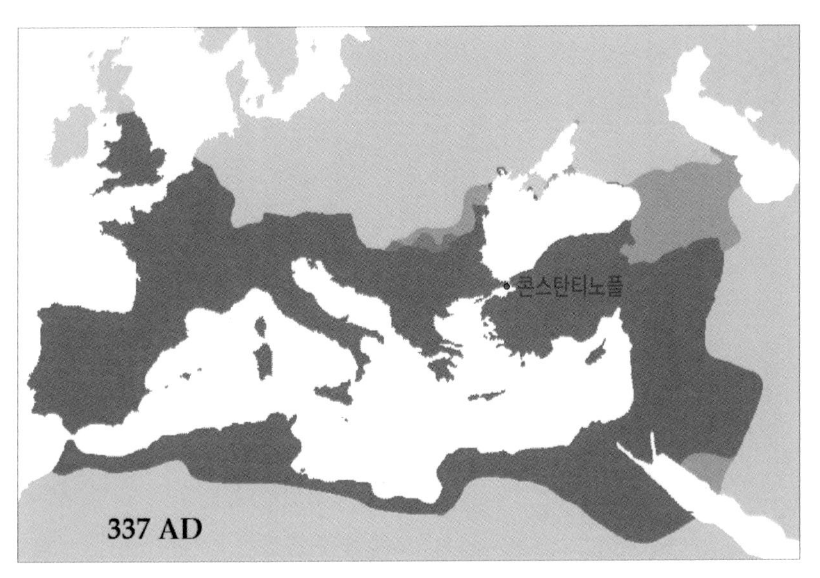

AD 337년의 로마제국 영토

테오도시우스 대제

동, 서로마제국의 분열

AD 395년 테오도시우스 대제가 세상을 떠나자, 로마제국은 그의 두 아들, 곧, 아르카디우스(Arcadius)와 호노리우스(Honorius)에 의해 분할되었습니다. 그리하여, 아르카디우스는 동로마제국의 황제가 되었고, 호노리우스는 서로마제국의 황제가 되었습니다.

서로마제국의 멸망

서로마제국은 AD 476년 게르만 용병 대장 오도아케르(Odoacer, 433?~493)에 의해 멸망당했습니다.

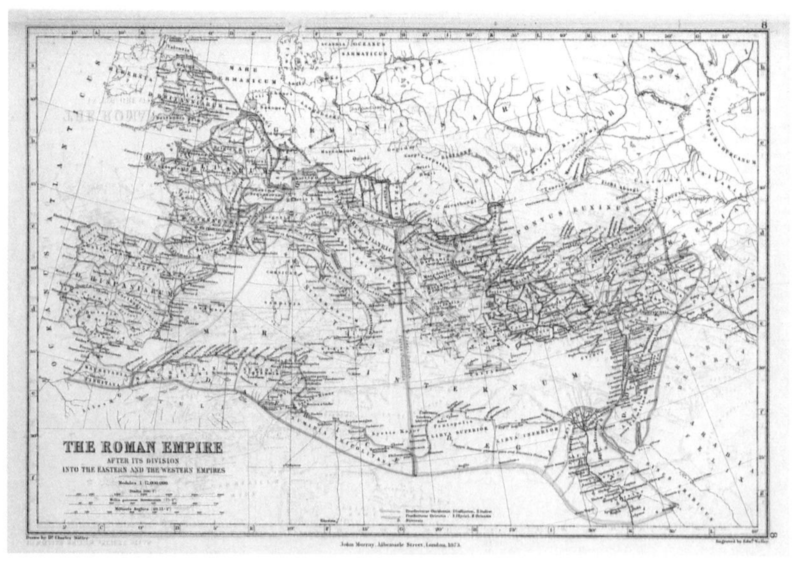

로마제국의 분열 (AD 395년)

15. 파르티아 제국과 사산 제국

파르티아 제국

파르티아(Parthia)는 본디 오늘날의 이란 동북부와 투르크메니스탄(Turkmenistan) 남부를 지칭했습니다. 파르티아 사람들은 BC 247년 나라를 세웠고, 그 세력을 점차 확대하여, BC 2세기 중엽 이란 고원 전체와 메소포타미아 대부분을 차지하였습니다. 그리고 BC 1세기부터는 로마제국과 맞장을 뜰 정도로 강력한 파워를 보였습니다. 파르티아 사람들은 헬레니즘 문화를 많이 수용하였습니다. 파르티아 제국은 AD 224년 멸망했습니다.

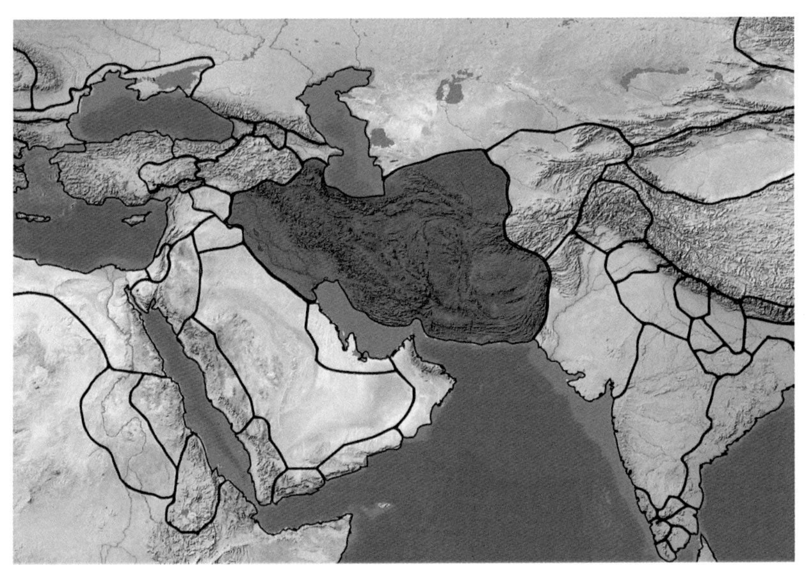

AD 1세기의 파르티아 제국

사산 제국

파르티아 제국 다음으로 이란 고원 및 메소포타미아를 지배한 제국은 사산(Sasan) 제국이었습니다. 이 제국은 AD 224년에 창건되었고, AD 651년에 멸망했습니다.

사산 제국은 – 파르티아 제국과는 달리 – 보편주의적인 헬레니즘과는 거리를 두고, 민족종교인 조로아스터교를 장려하였습니다. 제국을 창건한 아르다시르 1세(Ardashir I., 재위 224~242)의 할아버지 사산은 조로아스터교의 고위 사제였습니다.

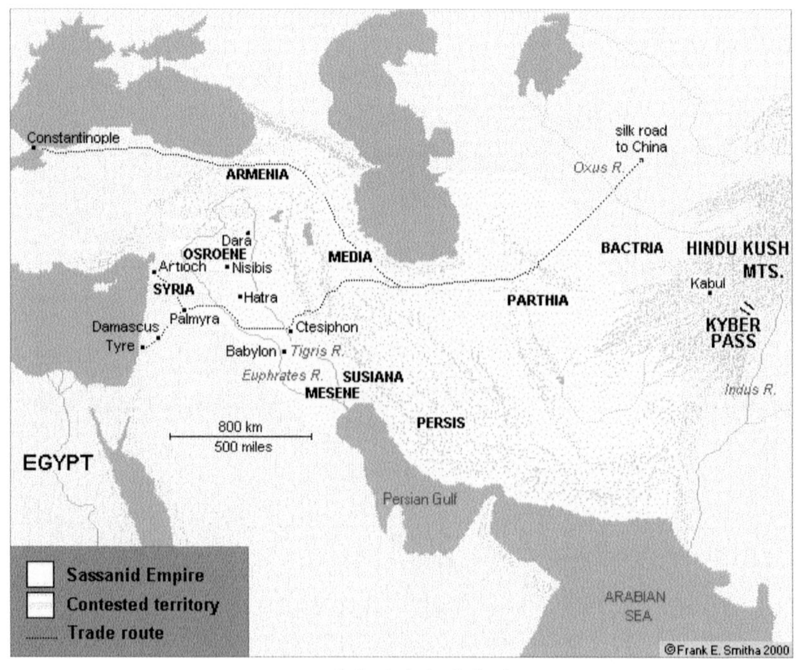

AD 3세기 중엽의 사산 제국

16. BC 1500년 경 이후의 고대 인도 역사 개관

베다 시대

베다(Veda)는 인도의 브라만교 및 힌두교의 경전입니다. 베다 중 가장 중요한 것은 리그베다(Rigveda)로, BC 1500년 경에 처음 만들어졌을 것으로 추정됩니다.

베다는 산스크리트어로 '지식' 혹은 '지혜'를 의미합니다.

베다 시대(Vedic Period)는 베다가 성립한 성립한 시기를 말하며, 보통 전기(1500?~?1000 BC)와 후기(1000?~?600 BC)로 나눕니다.

석가모니와 불교의 창시

불교(佛敎)의 창시자 석가모니(釋迦牟尼)는 BC 563년 경 인도 북부 샤키아(Shakya, 釋迦) 지방의 카필라(Kapila)라는 작은 왕국의 군주 정반왕(淨飯王)과 그의 왕비 마야부인(摩耶夫人)의 아들로 태어났습니다. 그의 원래 이름은 싯다르타 가우타마(Siddhartha Gautama)였습니다.

그가 태어난 곳은 룸비니(Lumbini) 동산이라 합니다.

싯다르타는 35세의 나이에 인도 동북부 부다가야의 녹야원(鹿野園) 혹은 사르나트(Sarnath)에서 대각(大覺)을 이루었다 전해집니다. 이후 그는 45년 간 설법(說法)을 하다가, BC 483년 경 만 80세의 나이로 입적(入寂)하였습니다.

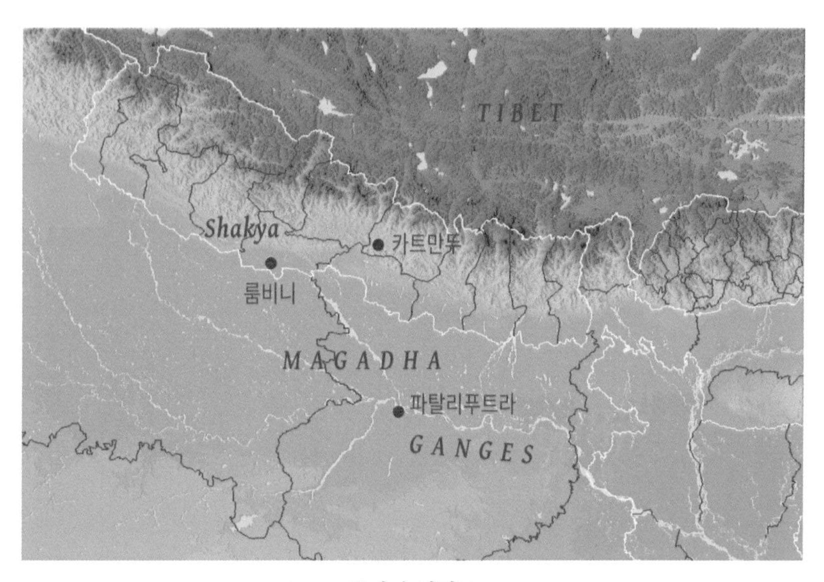

룸비니 위치도

간다라(Gandhara)의 불상
AD 1세기 혹은 2세기

간다라 미술

마케도니아의 알렉산더 대왕(재위 356~323 BC)이 원정한 지역에는 인더스 강 유역까지 포함됩니다. 대왕은 이 지역에서 BC 327년부터 BC 325년까지 활약합니다.

이후 인도는 문화적으로 헬레니즘의 영향을 받게 됩니다. 간다라(Gandhara) 지방의 미술은 인도에 대한 헬레니즘의 문화적 영향을 매우 잘 보여 줍니다.

간다라 지방은 현재 파키스탄 북부와 아프가니스탄 동부에 걸쳐 있는 지방입니다.

헬레니즘의 영향으로 고대 인도에서는 불상을 조각상으로 만들게 되었습니다.

헬라인들은 신상을 조각상으로 만들었습니다.

마우리아 제국

고대 인도는 오랫동안 통일을 이루지 못하였습니다. 그러다가 BC 322년 경 찬드라굽타(Chandragupta)가 마가다(Magadha) 지방을 중심으로 마우리아(Maurya) 제국을 창건하였습니다.

마가다 지방은 갠지스 강 중류에 위치하며, 그 중심 도시는 파틸리푸트라(Pataliputra)였습니다.

파탈리푸트라는 현재 인도의 비하르(Bihar) 주 파트나(Patna)에 해당합니다.

찬드라굽타는 인더스 강 유역에서 헬라 세력을 몰아내었습니다.

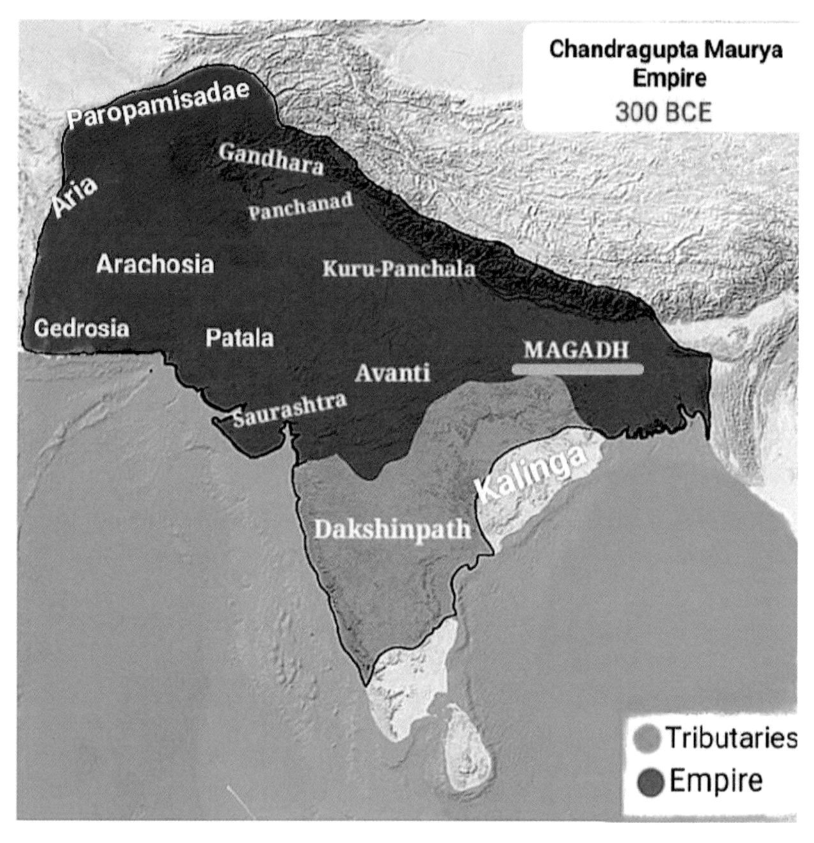

찬드라굽타의 지배 영역 (BC 300년)

출처: Wikimedia Commons

제작: Magadhahistorian

찬드라굽타는 아프가니스탄까지 정복하였고, 데칸 고원과 그 주변 지역 대부분을 점령하거나, 복속시켰습니다. 그는 브라만교, 불교, 조로아스터교 등 모든 종교에 대해 관용 정책을 폈습니다.

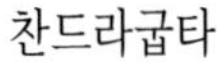
찬드라굽타

아소카

마우리아 제국은 찬드라굽타의 손자 아소카(Ashoka, 재위 268?~?232 BC)의 치세에 이르러 전성기를 맞이했습니다. 아소카 황제는 인도 남부 일부를 제외한 인도 거의 전역을 정복하였습니다. 그리고 타림 분지 일부도 지배한 것으로 보입니다. 그는 수많은 전쟁을 수행했는데, 이 과정에서 전쟁의 참혹함을 목도하고, 불교에 귀의했습니다. 그리고 불교를 국교로 삼고, 불교 전파에 힘썼습니다. 그의 치세에 스리랑카에 불교가 전해졌습니다.

아소카 차크라

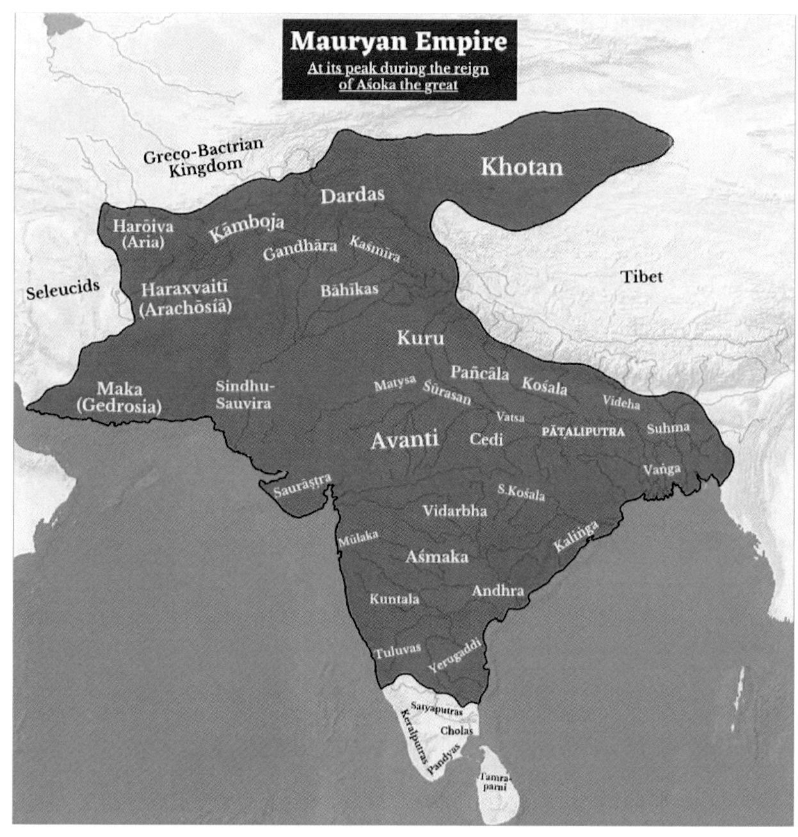

아소카 치세의 마우리아 제국 영토

쿠샨 제국

아소카 황제의 사후(死後) 인도는 정치적 혼란기에 들어섭니다. 그러자 중앙아사아에서 유목 생활을 하던 쿠샨(Kushan) 족이 인도 북부로 침입합니다.

쿠샨 족은 한자어로는 귀상(貴霜) 족이라고 합니다.

쿠샨 족은 월지(月支) 족의 한 갈래였습니다. 월지 족은 인도유럽어족에 속합니다.

쿠샨 족은 AD 30년 경 인도 북부를 중심으로 쿠샨 제국을 건설합니다. 쿠샨 제국은 비단길 혹은 실크로드 중간부에 위치하여, 번영을 누렸습니다. 이 제국의 전성기는 AD 100년 경부터 250년 경까지였습니다.

쿠샨 제국은 종교적 관용 정책을 폄과 아울러, 불교를 장려하였습니다. 또 헬레니즘도 적극 수용하였습니다.

쿠샨 제국은 헬라 문자를 사용하였습니다.

쿠샨 제국의 불교는 개인의 해탈을 중시하는 소승불교(小乘佛敎)와는 달리 중생의 구제를 중시하는 대승불교(大乘佛敎)로 발전하였습니다.

쿠샨 제국의 영토

굽타 제국

굽타 제국은 AD 319년 경 창건되어, AD 550년 경까지 존속합니다. 이 제국은 간지스 강 중류의 마가다 지방을 중심으로 발전하였습니다. 이 제국은 불교를 허용했습니다. 하지만, 브라만교의 후신인 힌두교를 장려하였습니다.

힌두교는 브라만교보다 여신들의 위상을 높였습니다. 또 신상을 만드는 일에 훨씬 더 적극성을 보였습니다. 대신 종교 의식의 비중은 낮추었습니다.

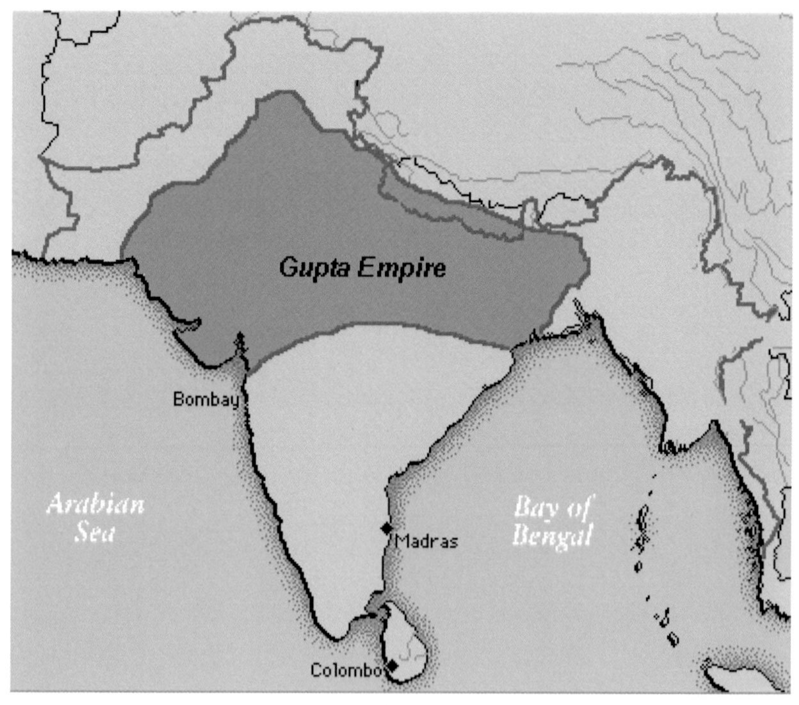

굽타 제국의 영토

기독교의 인도 전파

종교의 나라 인도에는 AD 1세기에 기독교도 전파되었습니다. 인도에 기독교를 처음 전파한 사람은 사도 도마였습니다. 도마는 인도 동남부 타밀(Tamil) 족 거주 지역에서 순교하였습니다.

도마는 AD 72년 순교한 것으로 전해집니다.

도마가 순교한 곳은 첸나이(Chennai) 혹은 마드라스(Madras)의 성 도마산(St. Thomas Mount)입니다.

금관가야(金官伽倻) 수로왕(首露王)의 부인 허황옥(許黃玉)은 인도 출신입니다. 혹자는, 허황옥과 함께 기독교가 우리나라에 전래되었을 것으로 믿습니다.

<도마의 순교 >
(첸나이의 성 도마 바실리카)

출처: Wikimedia Commons

촬영: Simon Chumkat

17. BC 11세기 이후의 고대 중국 역사 개관

서주(西周)

주나라를 세운 사람들은 화하족(華夏族)입니다. 그들의 원래 근거지는 황하의 지류인 위수(渭水) 유역이었습니다.

주나라는 본디 은나라의 제후국(諸侯國)이었습니다. 그러나 주 무왕(武王, 재위 1046?~43 BC)은 천명(天命) 사상에 근거하여 역성혁명(易姓革命)을 일으켰습니다. 그리고 은나라의 폭군 주왕(紂王, 재위 1075?~?46 BC)을 방벌(放伐)하고, 천자(天子)가 되었습니다.

고대 중국에서는 '황제'라는 말 대신에 '천자'라는 말을 사용하였습니다. 즉, '하늘을 대신해 천하를 다스리는 자'라는 뜻으로 말입니다.

주나라는 지방 제후에게 상당 수준의 자치권 및 군권(軍權)을 부여해 주는 봉건 제도를 채택했습니다. 이는, 은나라 잔존 세력의 저항이 만만치 않았고, 중앙집권적 통치를 하기에는 왕이 보유한 군사력이 충분치 않았기 때문인 것 같습니다.

주 무왕은 자기와 동성(同姓)인 혈족을 제후로 많이 임명했습니다. 예를 들어, 진(晉), 노(魯), 연(燕), 오(吳) 등의 제후는 왕과 동성이었습니다.

동주(東周)와 춘추 시대

주나라는 BC 771년 강족(羌族)에 속하는 견융(犬戎)이라는 이민족의 침략을 받아, 당시 왕 유왕(幽王, 재위 782~771 BC)이 죽임을 당하는 위기를 맞이합니다.

이에 주나라의 제후들은 유왕의 태자 의구(宜臼)를 왕으로 옹립했는데, 이 사람이 주 평왕(平王, 재위 770~720 BC)입니다. 평왕은 도읍지를 낙읍(洛邑)으로 옮깁니다.

낙읍은 후한(後漢) 시대(AD 25~220)에 낙양(洛陽)으로 개칭되었습니다.

낙읍은 호경 동쪽 약 330km 지점에 위치합니다. 낙읍의 이 같은 위치 때문에 BC 770년 이전의 주나라를 '서주'라 하고, BC 770년 이후의 주나라를 '동주'라 합니다.

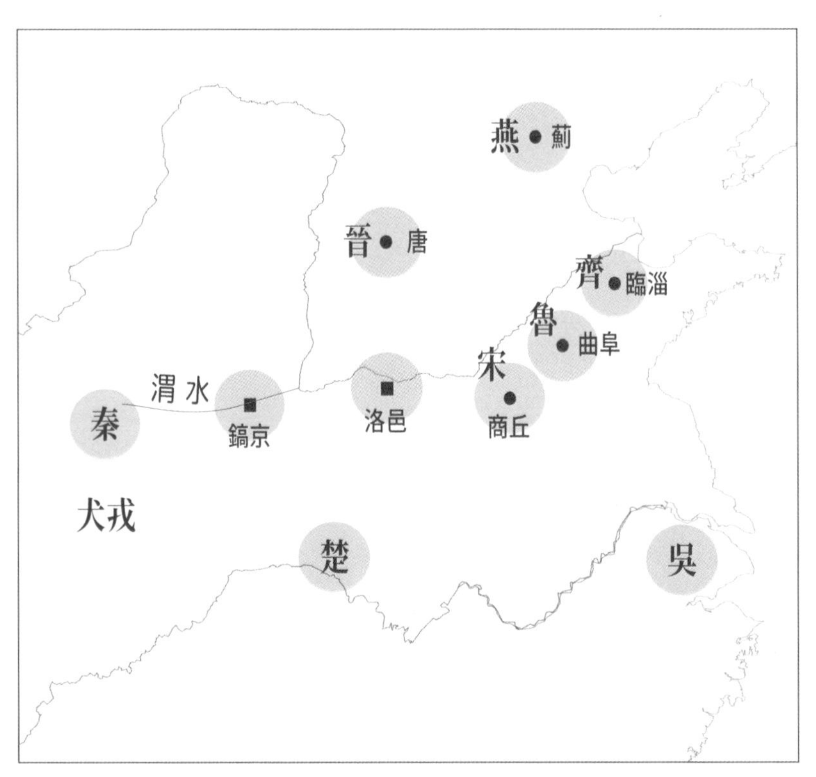

주나라의 도읍지 및 주요 제후국 (BC 1000년 경)

BC 770년 이후 주나라의 왕의 권위는 크게 실추되었습니다. 즉, 주나라 왕은 명목상의 왕으로 전락했고, 지방 제후국들은 사실상 독립국이나 마찬가지가 되었습니다. 우리는 BC 770년부터 BC 403년까지를 '춘추 시대'라 부릅니다.

이 용어는, 공자(孔子, 551~479 BC)가 지은 역사서 «춘추»(春秋)에서 유래한 것입니다.

춘추 시대에는 지방 제후들이 천하의 패권(霸權)을 놓고 다투었습니다. 다만, 제후들은 – 최소한 겉으로는 – 왕의 권위를 인정하는 척했습니다. 춘추 시대의 다섯 패자(霸者), 곧, 오패(五霸)는 다음과 같습니다.

제(齊) 환공(桓公)	재위 685~643
진(晉) 문공(文公)	재위 636~628
초(楚) 장왕(莊王)	재위 613~591
오왕(吳王) 부차(夫差)	재위 495~473
월왕(越王) 구천(勾踐)	재위 496~464

관중(管仲, 725?~645 BC)

관중은 제나라 환공을 도와, 제 환공으로 하여금 천하를 제패할 수 있게 한 인물입니다. 그가 그의 친구 포숙(鮑叔, 723?~644 BC)과 나눈 아름다운 우정 때문에 관포지교(管鮑之交)라는 말이 생겼습니다.

춘추 5패 위치도

전국 시대

전국 시대는 보통, 진(晉) 나라로부터 조(趙), 위(魏), 한(韓) 3국이 분리독립한 BC 403년에 시작하는 것으로 여겨집니다. 전국 시대에는 제후국의 군주들이 주 왕실의 권위를 대놓고 무시했습니다. 그래서 많은 제후국 군주들이 왕을 칭했습니다. 주나라는 BC 256년 경 완전히 멸망합니다.

전국 시대 말기가 되면, 군소국가들은 다 소멸하고, '전국칠웅'(戰國七雄)이라 불리는 일곱 개 나라만 남습니다.

연, 제, 조, 위, 한, 초, 진

이 나라들 중 연(燕)은 고조선과 인접한 국가로서, BC 3세기 전반에 고조선 땅 일부를 탈취하였다고 전해집니다.

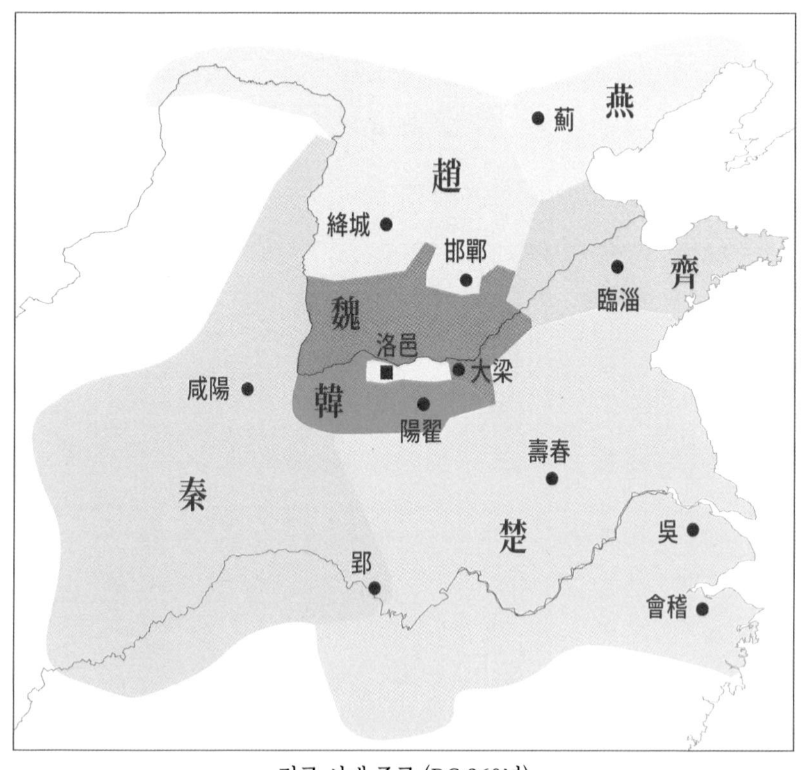

전국 시대 중국 (BC 260년)

소진의 합종책

전국칠웅 중 가장 강력한 나라는 서쪽의 진(秦) 나라였습니다. 다른 나라들은 진나라의 세력 앞에서 전전긍긍했습니다.

이때 동주 낙읍 출신의 소진(蘇秦, 380?~?284 BC)이 등장했습니다. 그가 진나라를 제외한 6국에 제시한 방책은 합종책(合縱策)이었습니다. 이에 따르면, 6국이 국가의 안전을 도모하려면, 상호 간에 정치, 군사 동맹을 체결하고, 진나라에 공동으로 맞서야 한다는 것이었습니다.

소진의 합종책은 6국에 받아들여져, 소진은 6국의 재상으로 인정받았습니다. 그의 합종책이 효험을 발휘하던 15년 동안, 진나라는 6국을 침략할 엄두를 내지 못하였습니다.

장의의 연횡책

장의(張儀, 373?~?310 BC)는 위나라 사람이었으나, 진나라 혜문왕(惠文王, 재위 365~311 BC)에게 등용되자, 진나라를 위해 소진의 합종책에 대항하여 연횡책(連橫策)을 제시하였습니다.

> 소진과 장의는 귀곡자(鬼谷子) 혹은 귀곡선생(鬼谷先生)의 문하생이었습니다.
>
> 그러나 그들이 친구였는지는 확실치 않습니다.

장의의 연횡책에 의하면, 진나라가 6국과 개별적으로 정치, 군사 동맹을 맺되, 진나라가 침략을 하지 않는다는 조건으로, 6국이 자발적으로 진나라를 섬기도록 하는 것입니다. 위나라와 연나라는 한때 장의의 제안에 따라 진나라를 섬긴 적이 있습니다.

노자와 도교

노자(老子, 571?~?470 BC)는 춘추 시대 초나라에서 태어난 사상가이며, 도교(道敎)의 창시자로 여겨집니다. «도덕경»에는 그의 사상이 잘 표현돼 있습니다. 그의 사상은 '무위자연'(無爲自然)이라는 말로 요약됩니다. 이 말은 힘없는 사람보다는 힘있는 사람, 특히 권력자에게 해당됩니다.

> 노자에 의하면, 현자(賢者)는 자연의 도(道)를 따르며, 무위(無爲)로써 작용합니다. 여기서 무위는 아무것도 하지 않는 것이 아니라, 일어나는 일에 불필요하게 개입하지 않는 것을 의미합니다.

장자(莊子, 369?~?286 BC)는 노자의 사상을 계승, 발전시켰습니다.

노자

공자와 유교

공자(孔子, 551~479 BC)는 춘추 시대 노나라에서 태어난 사상가이며, 유교(儒敎)의 창시자로 여겨집니다. «논어»(論語)는, 그가 쓴 책이 아니지만, 그의 사상을 잘 반영하고 있습니다. 그는 다음과 같은 덕목을 중시했습니다.

> 인(仁), 의(義), 예(禮)

여기서 인은, 사회를 떠나서는 살 수 없는 존재로서의 인간이 발휘할 수 있는 도덕적 능력을 의미합니다. 의는, 인간이 도덕적으로 살아가기 위해 지켜야 할 규범을 내면화하는 것이며, 예는, 이 규범을 외면적으로 표현하는 것입니다.

공자

맹자의 성선설

맹자(孟子, 372~289 BC)는 공자의 사상을 계승, 발전시킨 사람으로서, 성선설(性善說)을 주장한 것으로 유명합니다.

> 맹자의 성선설에 의하면, 인간이 하늘로부터 받은 본성(本性)은 선합니다. 즉, 인간의 마음에는 인(仁)·의(義)·예(禮)·지(智) 등 사덕(四德)의 싹이 구비되어 있다는 것입니다. 여기서 인은 '측은(惻隱)의 마음' 혹은 '남의 어려운 처지를 그냥 보아 넘길 수 없는 마음'이며, 의는 선하지 않은 일, 옳지 않은 일을 부끄럽게 알고 증오하는 '수오(羞惡)의 마음'이고, 예는 사람에게 양보하는 '사양의 마음', 그리고 지는 옳고 그름을 판단하는 '시비(是非)의 마음'을 말합니다.

성선설을 신봉한 맹자는 왕도(王道) 정치를 해야 한다고, 다시 말해, 도덕적 교화를 통해서 순리대로 정치를 해야 한다고 주장했습니다.

맹자

순자의 성악설

순자(荀子, 316?~?237/235 BC)는 공자의 사상을 이어받은 유학자(儒學者)였지만, 맹자의 성선설에 반대하여, 성악설(性惡說)을 주장하였습니다.

> 순자에 의하면, 인간의 본성은 악합니다. 그래서 순자는 인(仁)보다는 예(禮)를 더 중요시하였습니다. 그리고 예야말로 인간의 사회나 정신뿐만 아니라 자연계에도 통하는 법(法) 내지 법칙(法則)이라고 하였습니다.

순자의 성악설은 법가(法家)의 사상적 기반이 됩니다.

순자

한비자의 법가 사상

법가는 나라를 덕으로 다스리는 덕치(德治)보다는 나라를 법으로 다스리는 법치(法治)를 해야, 부국강병(富國强兵)을 이룰 수 있고, 천하를 안정시킬 수있다고 보았습니다.

한비자(韓非子, 280?~?233 BC)는 한나라 출신으로, 순자의 제자였고, 훗날 진시황(秦始皇)이 된 진왕 영정(嬴政, 259~210 BC)의 존경을 받았지만, 당시 진나라 재상이었던 이사(李斯, 280?~208 BC)의 모함을 받아, 투옥된 뒤, 감옥에서 음독자살하였습니다. 그는 강력한 법 집행과 신상필벌(信賞必罰)을 주장하였습니다.

묵자의 겸애설

묵자(墨子, 479?~?381 BC)는 송나라 사람으로, 유가(儒家)의 존비친소(尊卑親疎)에 기초한 사랑을 비판하면서, 다른 사람의 가족도 자신의 가족을 대하듯 하라고 주장하는 겸애(兼愛)를 주장하였습니다. 이와 관련해 유가에서는 묵자와 그의 문도를 '아비도 몰라보는' 자들이라고 욕하였습니다. 한편 묵자는, 유교의 허례허식이 백성의 이익을 저해한다는 이유로 유교의 예(禮)를 맹렬히 공격하였습니다.

묵자

제자백가

춘추전국 시대(770~221 BC)에는 도가(道家), 유가(儒家), 법가(法家), 묵가(墨家) 등 여러 학파가 등장하여, 고대 중국의 사상계(思想界)를 풍성하게 하였습니다. 그래서 이 시대의 여러 학파를 통틀어 제자백가(諸子百家)라고 합니다.

제자백가는 서로 활발한 토론을 벌인 관계로, '백가쟁명'(百家爭鳴)이라는 말이 생겼습니다.

진시황의 통일

약 550년 간 계속된 춘추전국 시대를 종식시킨 사람은 진나라 왕 영정이었습니다. 그는 BC 247년 진왕에 즉위하였고, BC 221년 중국을 통일하는 데 성공하였습니다. 통일 후 그는 자신에게 '시황제'(始皇帝)라는 칭호를 사용하였습니다.

'최초의 황제'라는 뜻으로 말입니다.

진시황은 중국 역사상 '황제'를 칭한 최초의 임금이었습니다.

진시황은 법가의 사상을 신봉하였습니다. 그리하여 강력한 법치를 시행하였습니다. 그는 지역마다 달랐던 문자와, 화폐와, 도량형(度量衡)을 통일하였고, 중앙집권적 시스템을 구축하였습니다.

그는, 중앙집권화를 위해 지방의 수령을 황제가 직접 임명하는 제도를 시행하였습니다.

그러나 진시황은 전제정치를 넘어, 강압정치를 했습니다. 그는 자신을 비판하는 사람들에게 심히 가혹한 형벌을 내렸습니다.

분서갱유(焚書坑儒)

진시황은 농업 서적을 제외한 모든 책을 불태우게 하고, 수백명의 유교 선비들을 구덩이에 묻어 죽였습니다.

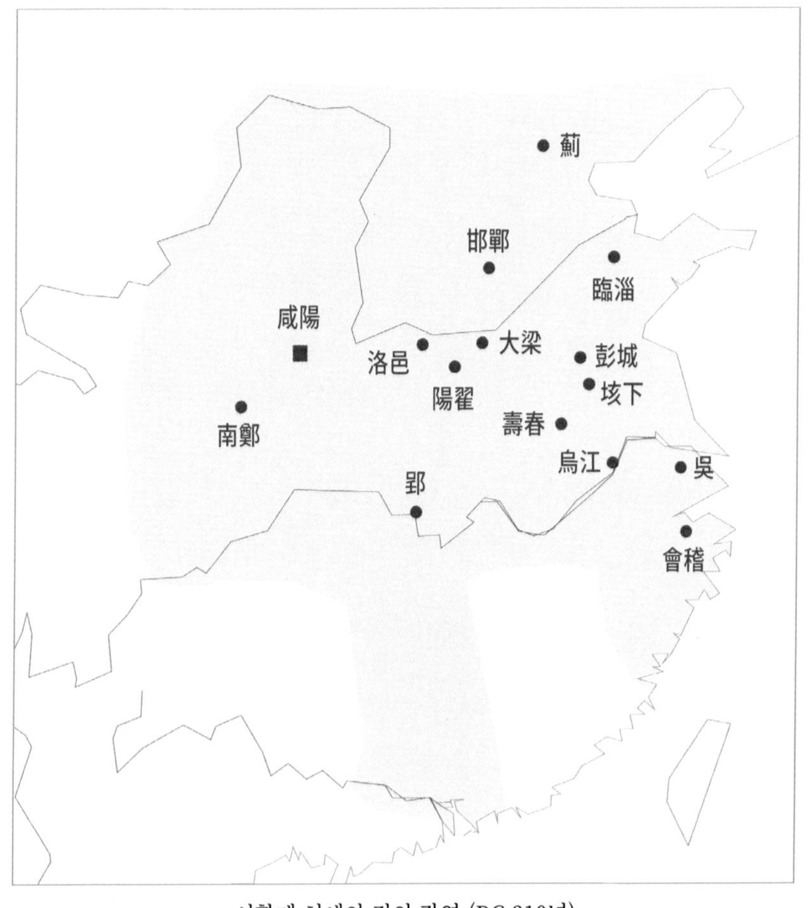

시황제 치세의 진의 강역 (BC 210년)

그는 북방의 이민족인 흉노(匈奴)를 막는다는 이유로 소위 만리장성을 축조하게 하였습니다. 그러나 이것은, 춘추전국 시대부터 이미 있던 성들을 연결하고, 보완하는 것이었지, 처음부터 완전히 새로 쌓는 것은 아니었습니다. 이 장성의 축조는 그의 사후에도 계속되었고, 격렬한 반란의 도화선이 되었습니다.

초한 전쟁

우리는 장기의 두 궁(宮)에 초(楚) 자와 한(漢) 자가 표기돼 있음을 압니다. 여기서 초는 항우(項羽, 232~202 BC)를, 한은 유방(劉邦, 256~195 BC)과 관계됩니다. 잘 아시는 대로, 이 두 사람은 역사 소설 «초한지»(楚漢志)의 주인공입니다.

항우는 진나라에 멸망한 초나라의 명문가 출신으로, 옛 초나라 영토였던 회계(會稽) 땅에서 BC 209년 일어난 반란에 가담했고, BC 208년 반란 세력의 우두머리가 됩니다.

한편, 유방은 팽성(彭城) 부근 패현(沛縣)의 정장(亭長), 곧, 하급 관리에 불과했으나, BC 209년 패현에서 반란을 일으켰고, BC 206년 진나라 수도 함양(咸陽) 입성에 성공합니다. 그러나 항우보다 세력이 미약했기에, 항우에게 굴복하고, 한중(漢中) 지방의 중심 도시 남정(南鄭)으로 갑니다.

그러나 얼마 후 유방은 항우에 대항해 군사를 일으켰고, BC 202년 해하(垓下) 전투에서 항우에게 결정타를 입힙니다. 패전한 항우는 후일을 기약하기 위해 강동(江東), 곧, 양자강 동쪽 지방으로 가던 중 오강(烏江)이라는 곳에서 자결하고 맙니다.

전한 시대

항우를 이긴 유방은 BC 202년 한(漢)이라는 나라를 세우고, 수도를 함양 부근의 장안(長安)으로 정합니다. 한나라는 제7대 황제 무제(武帝, 재위 141~87 BC) 때 전성기를 맞이합니다.

한 무제

한 무제는 위청(衛青), 곽거병(霍去病) 등의 장수로 하여금 북방 흉노족을 치게 하여, 흉노족의 세력을 크게 약화시켰습니다. 그는 또 장건(張騫)을 서역(西域)으로 파견하여, 육상 비단길을 개척하게 하였습니다.

무제는 한사군(漢四郡)을 설치한 것으로 알려져 있습니다. 그러나 최근 민족사학계를 중심으로 그 실체를 인정하지 않는 주장이 힘을 얻고 있습니다. 그리고 낙랑군과 낙랑국을 구별하기도 합니다. 낙랑국의 존재를 인정하면, 호동왕자와 낙랑공주 이야기가 합리성을 지니게 됩니다.

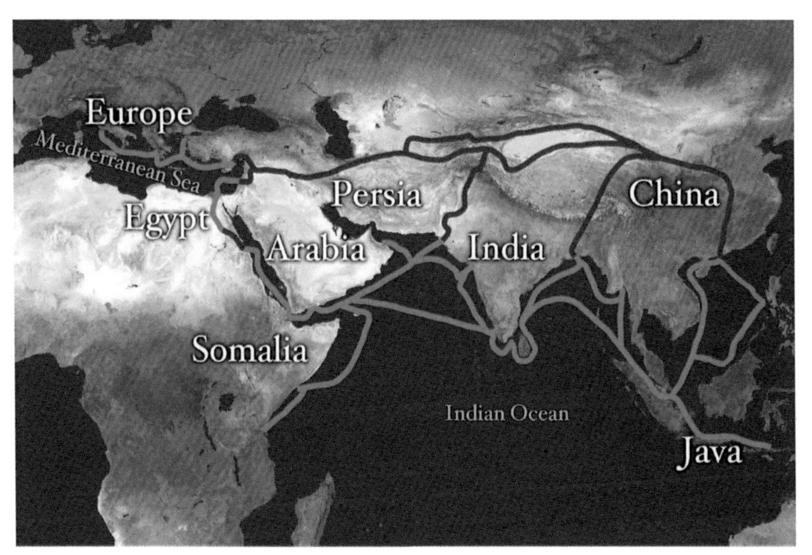

육상 및 해상 비단길

왕망과 신나라

한 무제는 황제의 권세를 강화하는 데 유리하다고 생각하여, 유교를 국교로 삼습니다. 왕망(王莽)은 유교를 숭상한 사람으로, 황실의 외척(外戚)이었습니다. 그는 AD 8년 전한의 마지막 황제 유자(孺子) 영(嬰)을 폐하고, 스스로 황제 위에 올랐습니다. 그는 국호를 신(新)으로 바꾸고 유교적 이념에 입각해, '새로운' 나라, 곧, 이상국가를 건설하려 하였습니다.

그의 역성혁명(易姓革命)이 유교적 이념에 맞는지는 의문입니다.

왕망의 개혁 정책은 현실에 부딪혀 좌초되었습니다. 그는 AD 23년 그의 부하에 의해 죽임을 당했습니다.

후한 시대

왕망은 부하에게 살해당했지만, 그의 가장 큰 적은 지방 호족(豪族) 세력이었습니다. 왕망을 무너뜨린 유수(劉秀)는 한 고조 유방의 후손이었고, 지방 호족의 대표였습니다. 유수는 한 왕실을 부활시키고, 광무제(光武帝, 재위 25~57)가 되었습니다.

우리는 왕망 이전의 한나라를 '전한'(前漢)이라 부르고, 왕망 이후의 한나라를 '후한'(後漢)이라 부릅니다.

후한은 장안 대신 낙양을 수도로 삼았습니다. 후한 시대에 채륜(蔡倫, 63?~121)이 종이를 발명하여 문화 발전에 크게 기여하였습니다.

삼국 시대

후한이 멸망한 것은, 후한의 마지막 황제 헌제(獻帝, 재위 189~220)가 제위를 위(魏)의 조비(曹丕, 187~226)에게 선양(禪讓)한 AD 220년입니다. 그래서 좁은 의미의 삼국 시대는 AD 220년 시작합니다.

그러나 넓은 의미의 삼국 시대는, 황건적(黃巾賊)의 난이 일어난 AD 184년으로 볼 수 있습니다. 이는, 이때부터 각 지방의 군벌(軍閥) 세력이 토호 세력과 연합하여, 중앙 정부의 통제에서 벗어나기 시작했기 때문입니다.

군벌 중 가장 두각을 나타낸 사람은 조비의 아버지 조조(曹操, 155~220)였습니다. 이는, 그가 AD 196년부터 허수아비 황제 헌제를 보호할 수 있었기 때문입니다. 그는 AD 200년 북방의 가장 강력한 군벌 원소(袁紹, +202)를 관도(官渡) 대전에서 격파했습니다.

조조는 AD 208년 승상(丞相)의 지위에 올랐고, 그에게 대항하는 유비(劉備, 161~223)와 손권(孫權, 182~252)을 제압하기 위해 대군을 일으켰습니다. 그러나 제갈량(諸葛亮, 181~234)의 보좌를 받은 유비가 손권과 힘을 합쳐, 적벽(赤壁) 대전에서 승리하고, 조조의 남진을 저지할 수 있었습니다.

유비는 AD 221년 촉(蜀)의 수도 성도(成都)에서 한실(漢室) 부흥을 명분으로 황제 위(位)에 오릅니다.

손권은 AD 229년 건업(建業), 곧, 현재의 남경(南京)을 수도로 하는 오(吳)나라 황제에 즉위합니다. 오는 AD 265년 무창(武昌)으로 천도합니다.

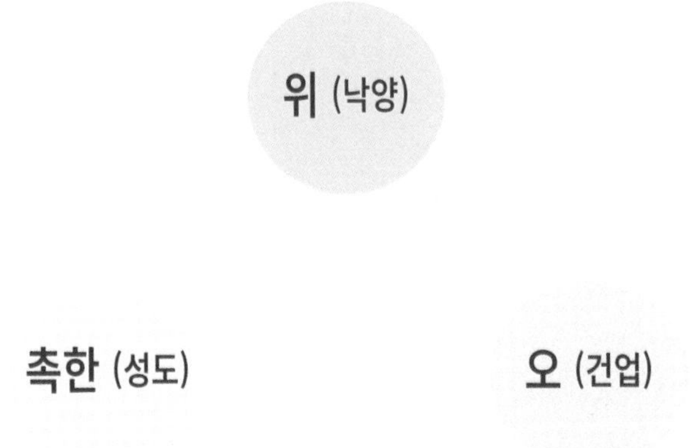

위 (낙양)

촉한 (성도)

오 (건업)

촉한은 AD 263년 위나라에 의해 멸망당합니다. 위는 AD 265년 제갈량의 적수였던 사마의(司馬懿, 179~251)의 손자 사마염(司馬炎, 236~290)에게 나라를 빼앗깁니다. 사마염은 국호를 진(晉)으로 바꿉니다. 오는 AD 280년 진나라에 항복합니다.

서진과 동진

사마염이 세운 진나라를 서진(西晉)이라 합니다. 이는, 진나라가 AD 316년 흉노족의 침략으로 멸망하자, 사마의(司馬懿)의 증손 사마예(司馬睿)가 강동, 곧, 양자강 동쪽 지방으로 가, AD 317년 진나라를 재건했고, 이 재건된 진나라를 '동진'(東晋)이라 부르기 때문입니다.

동진의 수도는 건강(建康)입니다.

건강은 삼국 시대 오나라 때는 건업(建業)으로 불렸습니다.

위진 시대

조비가 위나라를 세운 AD 220년부터, 동진이 멸망한 AD 420년까지의 시대를 위진(魏晉) 시대라 합니다.

오호십육국 시대 (304~439)

오호(五胡)란, AD 3세기 말 서진의 국력이 쇠하자, 4세기와 5세기에 북방과 서방에서 중국으로 침입한 다섯 민족을 지칭합니다.

흉노(匈奴), 선비(鮮卑), 갈(羯), 저(氐), 강(羌)

오호 시대에 중국 북부와 서부에는 16개 나라가 세워졌습니다.

1) 한(漢) = 전조(前趙) 흉노족 304~329
2) 성한(成漢) 저족 304~347

3) 전량(前凉) 한족 301~376
4) 후조(後趙) 갈족 319~351
5) 전연(前燕) 선비족 337~370
6) 전진(前秦) 저족 351~394
7) 후연(後燕) 선비족 384~407
8) 후진(後秦) 강족 384~417
9) 서진(西秦) 선비족 385~400, 409~ 431
10) 후량(後凉) 저족 386~403
11) 남량(南凉) 선비족 397~ 414
12) 남연(南燕) 선비족 398~410
13) 서량(西凉) 한족 400~421
14) 북량(北凉) 흉노족 397~ 439
15) 하(夏) 흉노족 407~431
16) 북연(北燕) 고구려인 및 한족 407~ 436

오호십육국 시대는, 선비족이 세운 북위(北魏, 386~534)가 화북(華北) 지방을 정복, 통일한 AD 439년에 종료됩니다.

남북조 시대 (386~589)

이 시대는, 북위가 세워진 AD 386년부터, 수(隋)나라에 의해 중국이 다시 통일될 때까지를 말합니다. 북조(北朝)는 황하 유역인 화북 지방을 중심으로 세워진 왕조를 지칭하고, 남조는 양자강 하류 유역을 중심으로 세워진 왕조를 지칭합니다. 주강(珠江) 유역인 화남(華南) 지방은 남조의 영역에 속했습니다.

남북조 시대에 남조에 속했던 네 왕조는 송(宋, 420~479), 제(齊, 479~502), 양(梁, 502~557), 진(陳, 557~589)이었습니다. 북조에 속했던 다섯 왕조는 북위(北魏, 386~534), 서위(西魏, 534~550), 동위

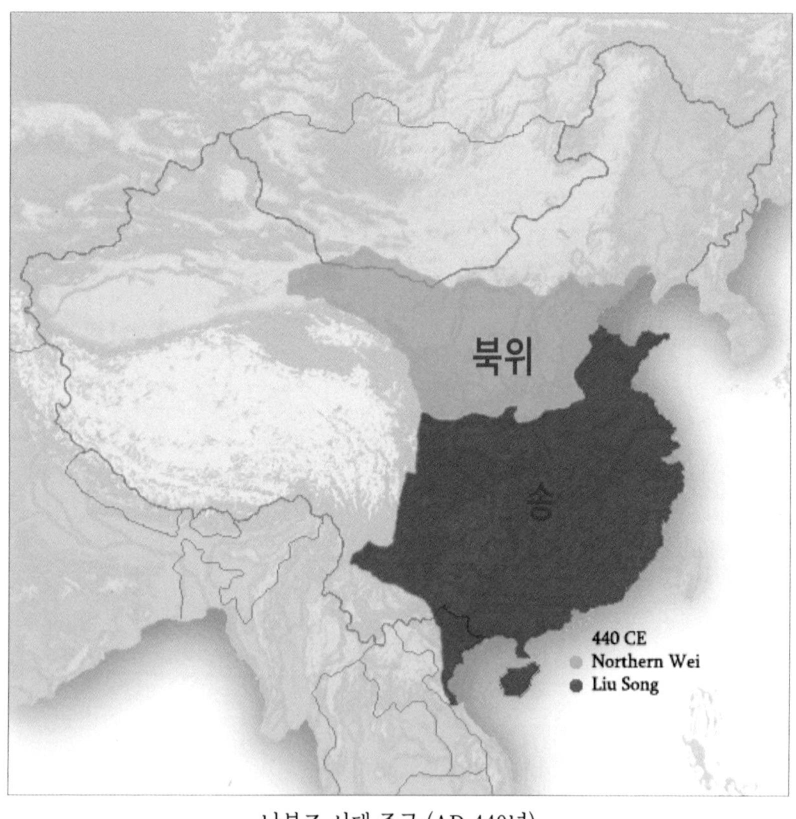

남북조 시대 중국 (AD 440년)

출처: Wikimedia Commons

제작: Ian Kiu

(東魏, 535~557), 북제(北齊, 550~577), 북주(北周, 557~581)였습니다.

북조 다섯 왕조 중 북제를 제외한 네 왕조는 모두 선비족(鮮卑族)이 세웠습니다.

북제를 세운 고양(高洋)의 부친 고환(高歡, 496~547)은 선비화(鮮卑化)된 한족(漢族)이었습니다.

육조 시대(六朝時代, 229~589)는 삼국 시대의 오나라, 동진 및 남조의 송나라, 제나라, 양나라와 진나라가 존속했던 기간을 모두 합한 시대를 말합니다.

위진남북조(魏晉南北朝) 시대(220~589)는 위진 시대와 남북조 시대를 통칭하는 것입니다.

세계사의 맥 고대편

발　행 | 2024년 6월 20일
저　자 | 김광채
펴낸이 | 한건희
펴낸곳 | 주식회사 부크크
출판사등록 | 2014.07.15.(제2014-16호)
주　소 | 서울특별시 금천구 가산디지털1로 119 SK트윈타워 A동 305호
전　화 | 1670-8316
이메일 | info@bookk.co.kr

ISBN | 979-11-410-8969-6

www.bookk.co.kr